CONAN HISTORY COMIC SERIES
世界史探偵
コナン
DETECTIVE CONAN
シーズン2
II
6
音と歴史
囚われの号砲
原作／青山剛昌
まんが／谷仲ツナ・斉藤むねお
JN138299

名探偵江戸川コナンと少年探偵団は、
タイムドリフターと協力し、
日本の歴史、そして世界の歴史上の
数かずの難事件を解決してきた!!
ハラハラとドキドキにあふれた
これまでの時間冒険と今回の時間冒険を
一気におさらいしよう！

過去へと飛ばされた13人の少年少女達、タイムドリフター。

偶然発見した〝ナビルーム〟で彼らと出会ったコナンと少年探偵団は、タイムドリフターが現代に戻るために必要な〝時のイシ〟集めを手伝うことに。強敵、怪盗ウルフと対決しながらも、日本の歴史の謎や事件を解決し、12の時代に散らばった〝時のイシ〟をぶじに集めることができた。

安心したのも束の間、今度は封印を解かれた〝歴史の悪魔〟が暴走を始める。日本の歴史を守るため、タイムドリフターは再び日本の歴史を時間冒険する。6個の〝時の紋章〟を探し出し、タイムドリフターとコナン、少年探偵団は力を合わせて〝歴史の悪魔〟を再び封印することに成功したのだった。

コナン達を待ち受ける時間冒険はまだまだ続く。新たな謎と事件は、歴史と歴史の間に埋もれていた。タイムドリフターは時代を飛び回り、事態を解決に導いたのだった。

そして今度は〝チエの実〟を調査していた阿笠博士が突如姿を消す。タイムドリフターは12の時代で阿笠博士の捜索にあたった。そこに立ちはだかったのは、世界の歴史の謎、事件、そして新たな強敵、猫盗賊キャラットだった。

〝真実のチエの実〟を手に入れたタイムドリフターのおかげで、博士は、ぶじナビルームに戻ってきたのだったが…。

そしてついに、最後の時間冒険に決着がつこうとしている…。

CONAN HISTORY COMIC SERIES
世界史探偵
コナン
DETECTIVE CONAN
シーズン2
II
6
音と歴史
人物＆アイテム紹介
少年探偵団
吉田歩美
円谷光彦
江戸川コナン
小嶋元太
毛利蘭
毛利小五郎
阿笠博士
灰原哀
榎本梓
安室透
謎のハッカー・X
猫盗賊キャラット
X
怪盗ウルフ

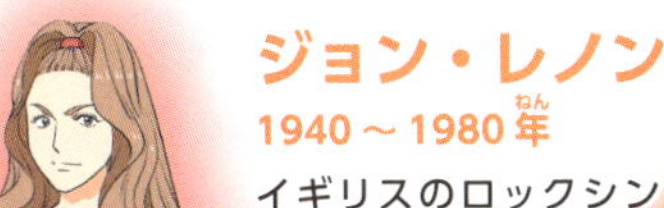

ジョン・レノン

1940～1980年

イギリスのロックシンガー。伝説のバンド・ビートルズのリーダー的存在。

カタリーナ・シュルツ

ドイツ民主共和国(東ドイツ)の首都・東ベルリンに住む、オリバーの友人。

ペトル・ノバトニー

チェコスロバキア社会主義共和国にあるラジオ局を運営している。

マルタ・クビショバ

1942年～

チェコスロバキア社会主義共和国の歌姫。

ポール・マッカートニー

1942年～

ビートルズで主にボーカル、ベースを担当。

オリバー・オール

イギリス生まれの音楽プロデューサー。ビートルズのアルバム収録をサポートしている。

デビッド・ボウイ

1947～2016年

イギリスのロックシンガー。音楽界に大きな影響を与えた。

ジョージ・ハリスン

1943～2001年

ビートルズで主にギターとボーカルを担当。

リンゴ・スター

1940年～

ビートルズで主にドラムを担当。

シプジ

時間冒険をサポートする最新アプリ。

時間冒険者のアイテム

DBバッジ

トランシーバー機能のついた探偵バッジ。同じ時代の中でだけ通話可能。

スマタン

現代と過去の時を超えて通話ができるスマホ型の通信端末。

時間冒険者

幼なじみグループ

タロウ　うめ　朝陽

幼稚園のころから知り合いの2人と1匹。なかよしトリオが、歌と歴史の先に見つけたものは…？

世界史探偵コナン・シーズンⅡ

6 [音と歴史] 囚われの号砲

もくじ

[コナンの推理NOTE]

※BGM…バックグラウンド・ミュージックの略。お店などで流れている音楽や、映像の背景に流れる音楽のこと。

あら、蘭ちゃん！クラシックくわしいの？
い、いえ！
そうでもないんですけど…
どこかのホームズオタクが弾いていた曲に…
似ていた気がして…

ほぉ…レコードプレーヤーか…
久びさに見たな…

何だ？この丸いの…
昔、音楽を聴くのに使っていたんですよね…
この丸い板に音楽が入ってるの？

何だ…
いまどきのガキはレコードも知らねぇのか…

ここを見てみろ…
先端に小さい針が見えるだろ？

この針が回転するレコードに当たっている間は、音が聞こえるんだ！

針が当たると音が聞こえる？何でだ？
レコードに刻まれている細か～い溝に針が当たると…

その、当たった針が…
いや、何だ…その…

よく分かんな～い…
針が当たって、どうなるんです？
ホントに知ってんのか？
ぐぬぬぬぬぬ…

※CD…コンパクト・ディスクの略。デジタル化した音声情報を記録した円盤状のもの。

ミニディスク…
MD 80
音楽や声を記録できる、これくらいの大きさのディスクだよ！

デジタル配信で音楽が聴けるようになって、2000年代の後半には数が減ったけどね！
コナン君…そんなことまでよく知ってるわね！

こ、この前、偶然テレビで見たんだ…
難しい話はいいからよぉ！

このうまそうなチョコレートケーキ！
早く食おうぜ!!

サクッ

うめぇ!
おいしーい!

何だか、おとなの味がします…
ん〜〜…
このケーキ…

コーヒーが使ってあるんじゃない?

そうだよ!よく分かったね!
それがおとなの味の正体ですね!

それにしても…このケーキにこの音楽とは…

〝このケーキには〟って…？

何か意味があんのか？

※ロック…ロックンロール。音楽の１ジャンルのこと。

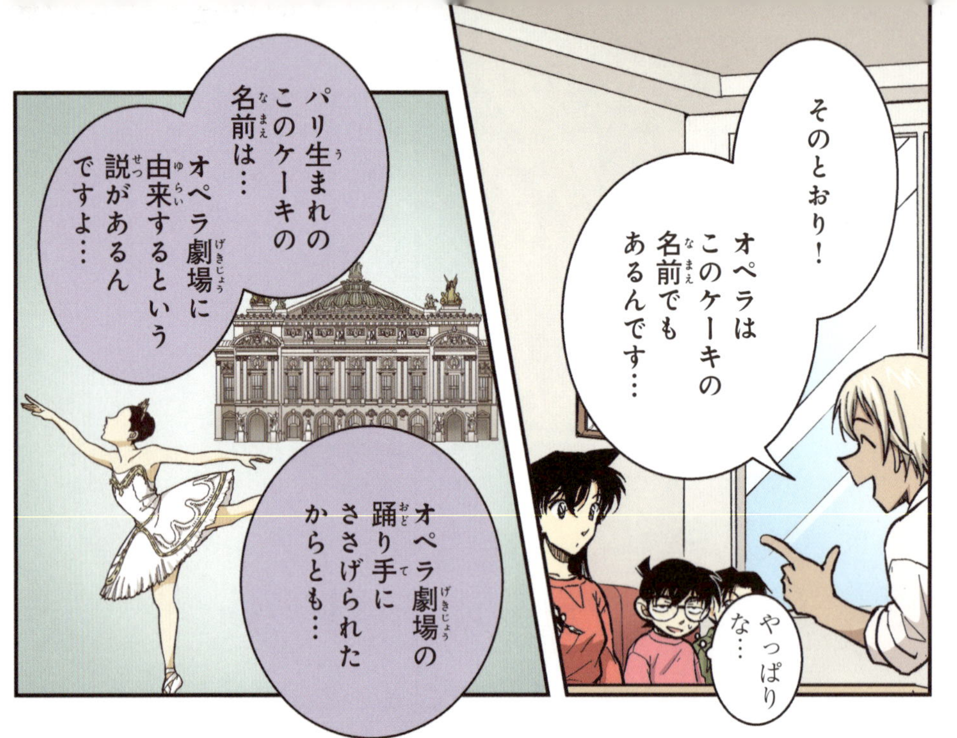
そのとおり！
オペラはこのケーキの名前でもあるんです…
やっぱりな…
パリ生まれのこのケーキの名前は…
オペラ劇場に由来するという説があるんですよ…
オペラ劇場の踊り手にささげられたからとも…

諸説ありますけどね！
じゃあ私達…
歌劇を聴きながらオペラを食べてるんですね！

ふ…気分が上がる…か…

何か気分上がっちゃうね♪
上がるか…？

ガッ
タッ
オペラもいいが…
オレがもっと〝いい音楽〟を教えてやろう…

※カバー…ある歌手の曲として発表されたものを、ほかの人が歌うこと。

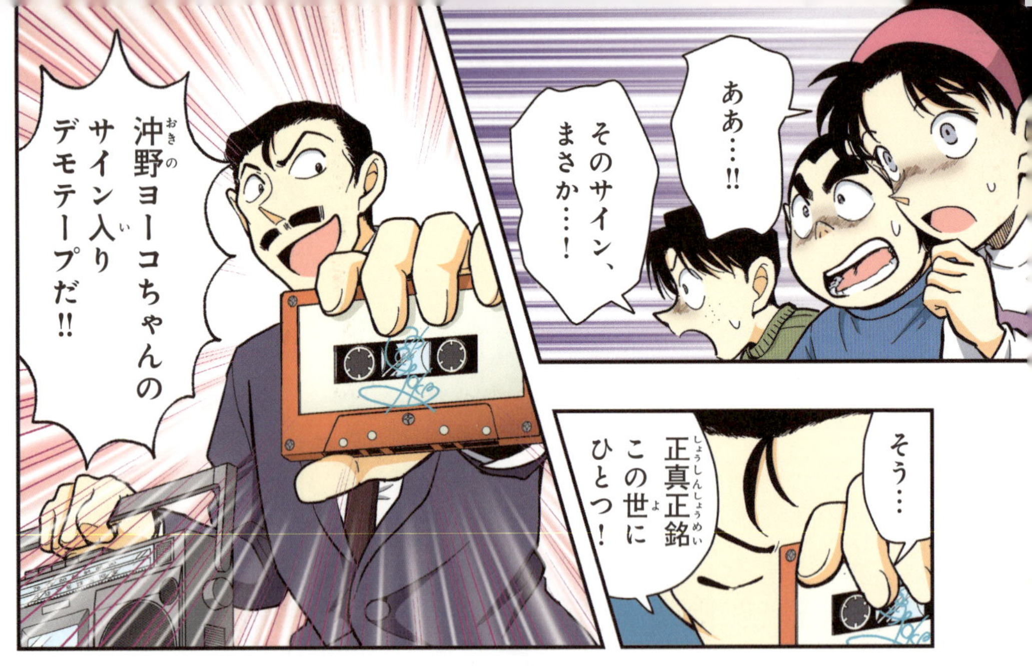
ああ…!!
そのサイン、まさか…!
沖野ヨーコちゃんのサイン入りデモテープだ!!
そう…正真正銘この世にひとつ!

どうだ!うらやましいだろう!
あれもらってから、すきあらば自慢してるよな…

デモテープ?
その四角いやつが?
何だ何だ!?お前ら、カセットテープまで知らないのか!?

カセットテープはな…
容器の中のテープに音が記録されてるんだ!

つまり、ここに…
ヨーコちゃんの歌声が…
北のおお〜〜〜
海いはああ〜〜〜
!!!!

ヨーコちゃんじゃねえぞ!
この声、おじさん?
何でだ!?
これは紛れもなく、ヨーコちゃんからもらったテープのはず!!

おじさん、この前…
酔っぱらってカラオケの練習したとき…
カセットテープに録音してたよね…

まさか、ヨーコちゃんのデモテープに上書きしちゃったの!?
うわがき?

上書きっていうのはね…

もともと録音してある音の上に…
別の音を録音し直すことだよ…

カセットにある〝ツメ〟を折ってあれば…
上書きは防止できたんだけどね…
パキッ
まさか折り忘れるなんてな…

どこにいっちまったんだ…!!
ヨーコちゃ～ん!!
おじさんかわいそう…
見てられないですね…
元気出せよな、おっちゃん!

探偵事務所

ごちそうさまでした!

あのケーキ、めちゃくちゃうまかったぜ！
ブーブー
あ…

灰原さんからです！
博士と待ってるって！

いってきまーす！
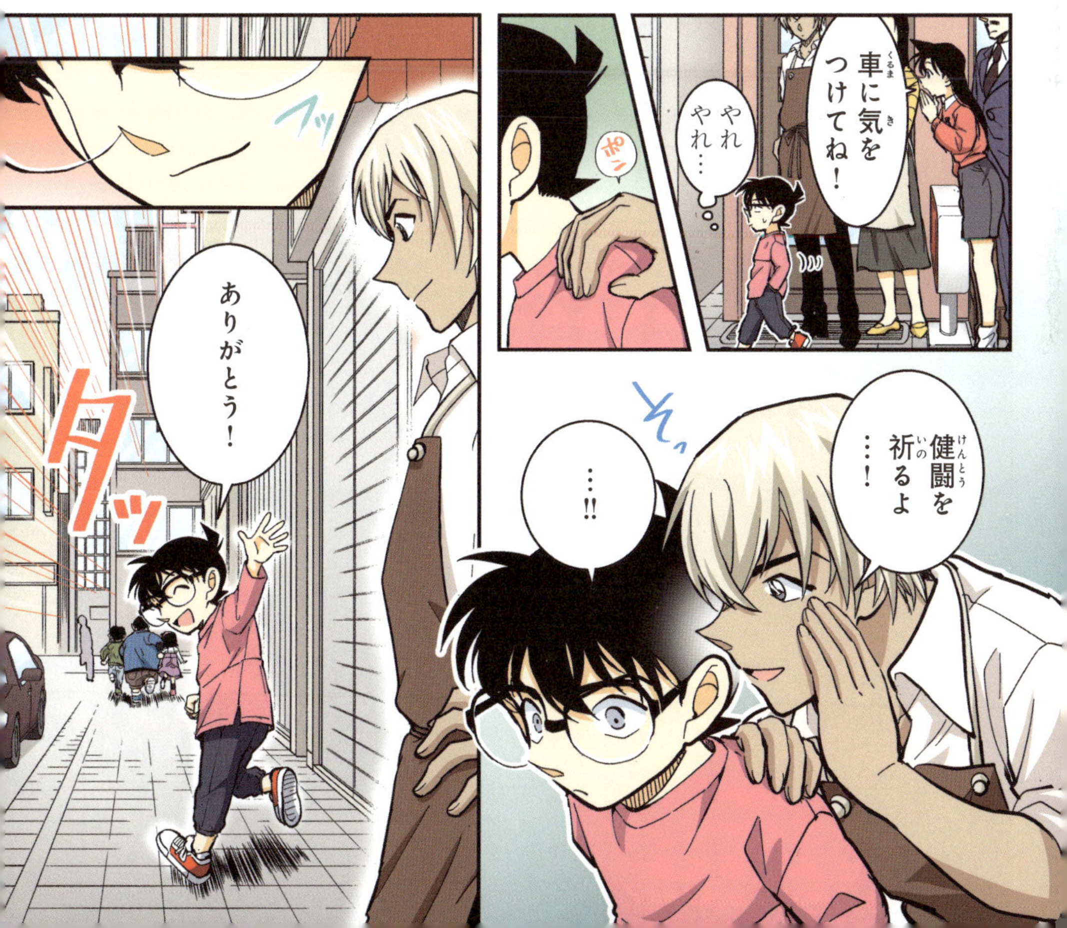
車に気をつけてね！
やれやれ…
ポン
フッ
ありがとう！
タッ
健闘を祈るよ…！
そっ
…!!

博士！
哀ちゃん！

ビビーッ
ビーッ
な、何だ!?
ビーッ
ビーッ
DANGER DANGER DANGER DANGER

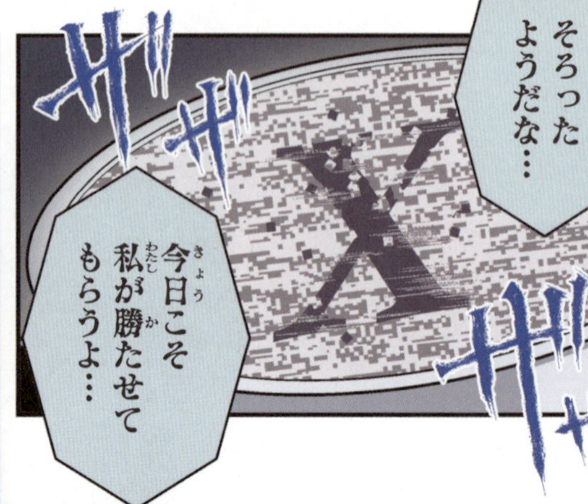
ザザ
そろったようだな…
今日こそ私が勝たせてもらうよ…
ザザッ

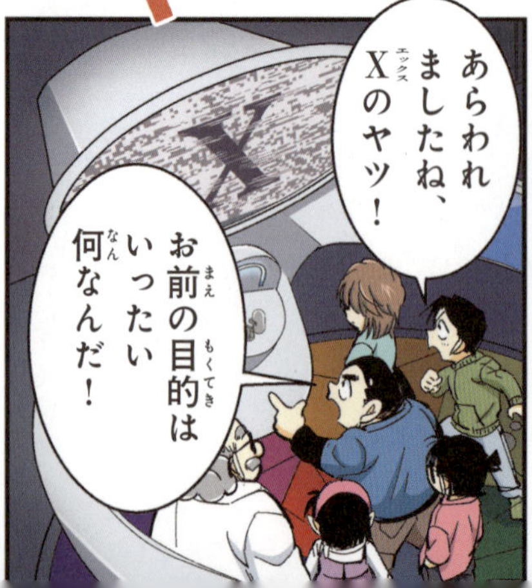
あらわれましたね、Xのヤツ！
お前の目的はいったい何なんだ！

目的か…
フフ…それは世界の歴史をめちゃくちゃにすることだ!
この…ハッキングしたナビモニターを使ってな!

マジかよ!?
そんなの絶対にダメ～!!

博士!!
うむ…ハッキングの解除方法はもう見つけた!

これまでの挑戦状の答えが…ハッキングの解除キーだったんじゃ!
歴史はおいしい!
歴史はゲームだ!
歴史はより速く! より高く! より遠くへ!
歴史はKAWAII!
歴史はくり返す!
解除に必要なキーはあとひとつじゃ!!

見てください! 挑戦状です!

つまりこの挑戦状が…
最後の謎解きってことか…

世界はすてきな音楽にあふれている!!

歴史のはじめから、人類は「音」とともにあり!!

4万年前のフルート

音楽は時代を映す鏡だ!!

世界を変えた「音楽の力」とは?

ザクトイィ
FILE. 2
HEY JUDE ってどんな歌？
キラッ
パァァ
Hey
Jude

ズデーン

鐘ひとつ——
カーン

ててて…
ピクピク
カラカラ
合唱コンクールの練習してたのに…!

ここはどこだ——っ!?
ズボッ
パンパン
タイムドリフトしちゃったみたい…

朝陽の音痴な「HEY JUDE」のせいで…
時空がゆがんだのかも!?
なんだとーっ!!

…もう一度歌って帰るぞ!
ジャジャーン
Hey Jude
キャーッ ヤメテーッ
朝陽の音痴ーっ!!
ポロッ

朝陽さん、うめさん!
ピピッ

コナン!

ということは…Xからの挑戦状がきたんだね！
うん、最後の挑戦状がきたんだ！
最後ッ!?

ピッ
でも、今回は難易度が上がって…
歴史は?う
答えられるのはたった1回だけなんだ！
1回だけ〜〜!?

歴史は〝笑〟う！
ゲラゲラ
なんてボケ、ダメなんだから！
ペしっ

分かったよ、コナン！
さっそく調査開始ね！
ダーッ
バフウ！

ワイワイ
QUEEN
VICTORIA
LONDON
ここは…
いったいどこだ…？
ヨーロッパの
どこかみたい…

何か
みんなオシャレ
だなぁ！
キラ
キラ
そうね！

あら？
ピカッ
何か
しら？

タッ

とにかく
ヒントが
ないか、
調べようぜ！

うめっ
!?

うめ――っ
どこいったー!?
タタ――ッ
JUNE RECORD
soho record
THE soho record center
STUDIO 3
ピカー
クンクン

いたっ!
ザザーッ
キラッ

急になくなるなよ…
ぜーぜーッ
あ、ゴメン朝陽…
はッ

心配したじゃねェか、ったく…
あら、うれしー♥

バッ…
カァァ
心配なんてするかよ!

って、うめ…手に持ってるの、何だ?

光を追いかけてきたら…
これがお店にあったの！
ピカーッ
The Beatles on Apple
HEY JUDE
(Lennon—McCartney)
THE BEATLES

「HEY JUDE」!?
私達が合唱会で歌う曲よね！

…しかしこれって何だ？
CDにしちゃバカデカいけど…
ピッ
ピッ

パアーン
それは、〝レコード〟と呼ばれる音楽を記録した円盤です！
レコード!?

レコードは、音楽が表面にある〝音溝〟という溝に刻まれていて…
レコードプレーヤーの針をのせると、音楽が再生できるのです！
つまり昔のCDね！
そんなことで音楽が再生できるのか!?

パラッ
あら？
パサッ

キラ
これって…
Xからのヒント!?
氷が溶け始めるとき歓喜が傷をいやす！
X

〝氷が溶け始めるとき歓喜が傷をいやす〟だって!?
いったいどういう意味かしら？
……

キミ達…
そのレコードが気になるのかい？

THE BEATLES
お前は…!?

Xっ!?

X!?
それより
その曲、
好きなのかい?

あっ!
この人
もしかして…!!
ぐっ

そうだなあ…
この歌は…
めちゃくちゃ
歌い
づらいぜ!
ガン

何より気持ちが
乗らないんだよ!!
うわあ、
朝陽ヤメテ
——ッ!!
NO〜〜〜!!!

ジョン!
こんなところに
いたのかい!!
ダッ
フラ
フラ
レコードの
売れ行きが気になって
立ち寄ったんだが…
ジョン?
プロデューサー
見習い
オリバー・
オール

素直な
コメントが
刺激的だったよ!
次はもっと
いい曲が
できそうだ!!
チャッ

え…
"X"じゃ
ないの?
この
レコードの
人よ…
多分…
ハァ〜

エエエッ、オレ、つくった人に意見しちゃったのォ〜〜〜!!
ジョンよ!!
本物のジョン・レノンよ!!
キャーーッ
急いで出るよ、ジョン!!
バッ
THE BEATLES

キミ達もいっしょにおいで!!
ダッ

ついていっていいんですか?
キャ
ブロロッ
大人気ね…
キャ
これからレコードジャケットの撮影なんだ!

人手も必要だし…
キミら、日本人だろ?
ブロロロッ

ボクの彼女も日本人なんだ!
パチッ
キミらも信頼するよ!
辛口コメントも効いたし…

どうする、うめ?
キャー

見て…ジョンさんすごい人気!

これって〝歓喜〟じゃないかしら!
ついていけば、何か分かるかも!
ニコッ

※ヒマラヤ…インドからチベットにかけて山が連なる地域。エベレストは世界一高い山。
あらためてよろしく、ジョン・レノンさん！
オレ、朝陽！
私、うめ！
と、タロウ！
よろしく！
撮影ってどこでやるんですか？
エベレストがある※ヒマラヤさ！
ブロロロー
エーーッヒマラヤー!?
…と言ったら、オリバーに反対されて…
ファアアアッ
キャー
キャイイ
キャー
ここからすぐの、スタジオの近くで撮ることになったんだ！
スタッ
ガチャ
キャーーッ、ポール!!
ジョージ！
リンゴ・スター!!
ジョージ・ハリスン
ポール・マッカートニー
リンゴ・スター
すごい…本物のビートルズよ…
キミ達は野次馬を止めて！
バッ

キャーッ!!
入らないでくださーい!
どこで撮る?

どこでもいっしょさ!
その辺で撮ろう!

大事なのは…
ボクら4人が写っていることだからね…

撮影いきまーす!
パシャ

この場所、どっかで見たことあるような…
ただの横断歩道に見えるけど…
あっ！
優一さんと俊夫さんが…ウェンディーさんと出会った場所ですよ！

じゃあ、優一さん達も近くにいたりして…
いや…

優一さん達がタイムドリフトしていた時代は、１９６３年…
〝この場所〟でビートルズが撮影をしたのは、１９６９年なんだ！

微妙に時代が違うのか…
残念…
コナン君！朝陽さん達に、いまいる時代を伝えましょう！
ああ、そうだな！

つ…疲れた…
ヒー
ヒー
ホント…

結局…ヒントは関係なかったみたいだな…
そうね…

ピッ
朝陽さん、うめさん！
2人ともお疲れさまでした…

コナン君！
朝陽さん達がいる場所が分かったから、伝えておこうと思って！

ビートルズがいるってことは…
イギリスなんじゃないかしら？

そのとおり！いま撮った写真は歴史的に有名なアルバム…
「アビー・ロード」のジャケット写真なんだ！
撮影された日は、1969年8月8日！

タタタ
そうなんだ！
朝陽、うめ！
おかげでいい写真が撮れたよ！

お礼がしたいんだが…
何がいいかな!?

HEY JUDE
今度、合唱会で「HEY JUDE」を歌うんだ…
うまく歌うコツを教えてください!
グッ

ヘイ! お安い御用だ!!
それはね…
HA HA HA
ジョン、次の仕事だ、急げ!!

しゅん

OK、朝陽君!
代わりにボクがジョン直伝のコツを教えるよ!
タタッ

やった!!
朝陽! うめ!
キミ達ならどんな苦難も乗り越えられる!
ありがとうジョン・レノンさん!!

「HEY JUDE」は…ジョンの息子、ジュリアンのためにつくられた曲なんだ…
ブロロロッ
〝JUDE〟はジュリアンの愛称なんだよ！
ジュリアンが落ちこんでいたときに…
つらいこともあるだろうけど、きっと乗り越えられるはず…乗り越えてほしい！
その思いを歌にしたんだよ…

だから、この歌をうまく歌うコツは…
キミのまわりにいる落ちこんだ人を思い浮かべて…

その人を励ますつもりで歌うと…
きっとうまく歌えるんですね！
これで合唱がうまくいくわね！
ところで…
ニヤリ
キミらにもうひとつ、仕事を頼みたいんだが…

コナンの推理NOTE

人類の歴史は、いつも「音」とともにあった！

音楽は、はるか昔から心と心をつなぐコミュニケーション手段だった！

たとえ知らない国の歌やはじめて聞く音楽だったとしても、その歌や音楽を耳にすると、思わず「踊りたい！」「元気が出る！」「なんだか悲しい！」など、さまざまな感情がわいてくる。歌や音楽は、国境や文化を超えて人の心を動かす力を秘めているからなんだ。歴史を陰で支えてきた、音楽の歴史をたどる旅へ出発しよう！

人類は、言葉より先に、音楽を手に入れたぞ！

数万年前の人類は、動物の骨から打楽器や笛をつくりだしていたんじゃ。次ページでよーくたしかめるんじゃぞ！

もっとも古い楽器は、人間のからだだった！

からだのさまざまな場所を使って音を出す生き物は数多い。その音の意味は、縄張りを示したり、あるいは敵の存在を知らせたり、はたまた自分の魅力をアピールしたりするものだったりする。私達人類も、声を出すだけでなく、手や足を使って音をつくりだしてきた。古代エジプトの時代から、人びとはからだを楽器代わりにして音楽を楽しんできたんだ。上のイラストは古代エジプトの演奏者と踊り子の壁画だ。中央の人物が吹いている細長い棒状の楽器は、紀元前2700年ごろにはすでにあったといわれているよ。

上のイラストは、古代ギリシアの演奏家とその音楽に合わせて踊る乙女を描いたもの。演奏家が吹いているのは、アウロスという楽器で、顔に巻いたバンドで頬を強く圧迫することで、楽器に息を吹きこみやすくしていたんだ。

音を奏でる道具「楽器」の誕生！

4万年前のフルート

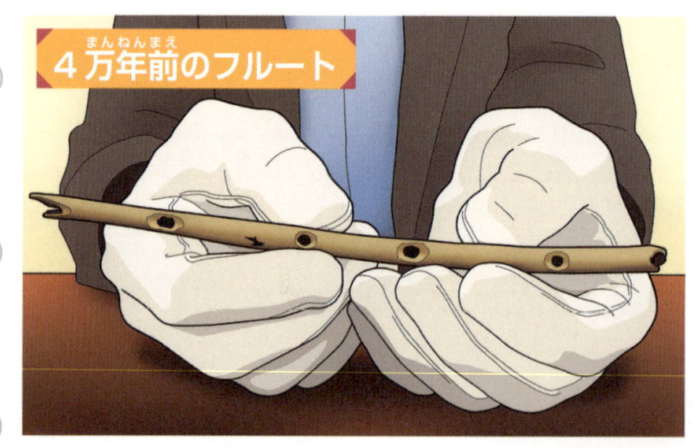

木管楽器の仲間であるフルート（※）は、世界最古の楽器のひとつといわれている。ドイツのとある洞窟で発見された左のフルートは、なんとハゲワシの骨でできているんだ。4万年前といえば、人類がヨーロッパに住み始めたといわれている時期だ。そんな昔から私達の祖先は、楽器をつくり音を奏でてきたんだね。

古代ギリシアの太鼓

古くから太鼓は、音に特別な力があると信じられてきた。古代ギリシアでは、牛の革を張った盾を太鼓代わりにたたいて、戦いの前に兵士の士気を高めるために使われた。人類は、普段の生活の場から神への祈りの場まで、さまざまな場面で太鼓を利用してきたんだよ。

日本で発見!?　世界最古の弦楽器!!

現存する世界最古の弦楽器は、日本で発見された。青森県にある紀元前1000年ごろの遺跡から出土した木製品がそれだ。日本の琴の原型ではないかともいわれているんだ。これまで世界最古の弦楽器は紀元前433年の琴だといわれていたから、一気に500年もさかのぼるすごい発見だったんだね。

縄文時代の琴

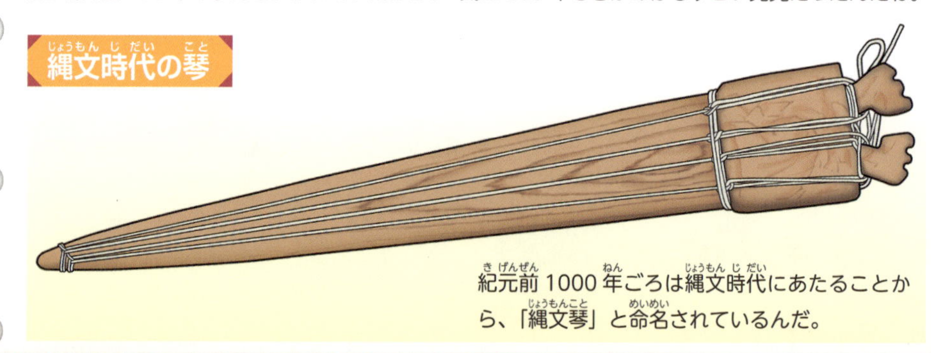

紀元前1000年ごろは縄文時代にあたることから、「縄文琴」と命名されているんだ。

※フルート…横笛の一種。古くは木製、現在は金属製が普通。

古代ギリシアの人びとは競争好きで、楽器を演奏しながら歌う技術を競う大会まで開かれておったぞ!

最古の歌は、「神歌」!?

メソポタミア文明(※)では紀元前3000年ごろすでに、「リラ」という竪琴を使っていた。中央の人物が手にしているのがリラだ。牛の頭部が装飾されているのには理由がある。牛は聖なる動物として敬われていたため、この装飾がついた楽器から奏でられる音は、"神の声"として聞かれていたんだ。

これが世界最古の歌の楽譜だ!

古代の音楽がどんなものだったかはまだ分かっていない。しかし楽譜だと考えられる文字が刻まれた粘土板が見つかっていて、その解読が進められているんだ。

※メソポタミア文明…現代のイラクなどがある地域で栄えた世界最古の文明のひとつ。

FILE. 3 ロンドンでサマーフェスティバル!

※フリーフェス…無料で見物できるイベント。
このあとすぐに※フリーフェスを開催するんだ…
会場の準備をキミ達も手伝ってくれないか？
でもオレ達…
入場無料だから人を雇うお金があまりなくてさ～…
うるるっ
フェスなら大勢のお客さんが歓声を上げるはず！
うるる
そうか！
今度こそヒントが分かるかも!!
どうにか間に合った…
ハァ
ハァ
もうクタクタ～…
朝陽君、うめさん、ありがとう！
タタタッ
お礼といっては何だけど…
ピッ
フェスのチケットだ…楽しんでいってくれ！
BECKENHAM CONCERT SATURDAY AUGUST 16, 1969 10:A.M.
SAT. AUG.16 1969
ありがとう!!

※大トリ…演奏会などで最後に出演する人。

シーッ、静かにっ！観客にバレたら大パニックだよ!!
ボクはフェスの進行係で、ここを離れられないし…
頼む!!
キミらだけが頼りだ！
パ
ン

朝陽！
分かったぜ！
ドン
ありがと〜〜〜っ!!

ガサガサ
えーっと…あった!!

捜してほしいのは…
このレコードジャケットの歌手だ！
DAVID BOWIE

…デビッド・ボウイ？

※「2001年宇宙の旅」について、くわしくは『世界史探偵コナン シーズンII 第5巻 知と歴史』を読もう。

※アポロ11号について、くわしくは『世界史探偵コナン 第12巻 月面着陸の真実』を読もう。

キンコーン
カンコーン
キンコン
カンコーン
さすがに、この広い街で人を捜すのはムリがあるわ〜…
ハア
ハアハア
フーッ
川にくると、何か気分が休まるぜ…
おーいっ
デビッド・ボウイさーーん！どこですかーー!!

キミ達…
オレに何か用があるのかい？

DAVID BOWIE
えっ!?

デビッド・ボウイさん!?
ファンか?
ボクは朝陽！
うめです！
バフバフ！
と、タロウ！
オリバーさんに、あなたを…
連れてくるよう頼まれてきましたっ!!
…そうか…
オレはいかない…
エエエッ!?
みんな待ってますよォ!!
……
少し前に…
父親が死んだ…
えっ!?

オレがミュージシャンになるって言ったとき…
お前なら絶対に成功する!!
…背中を押してくれた…

売れずにいたオレを…
だいじょうぶだ!
…笑顔で励ましてくれたんだ…

父親がいたから、オレは歌えていたんだ…
父親が死んだいま、オレはひとりで歌う自信がない…

つらいことがあったのね…
ポツリ
スー

Hey Jude,

don't make it bad

Take a sad song

and make

it better

Na-na-na
-na-na-na-na,
na-na-na-na,
hey, jude
ワッ
すごい、朝陽！とても上手に歌えてたわ！
パチパチパチ
ジョンさん直伝のコツ…オリバーさんに教わったとおりに歌っただけさ！

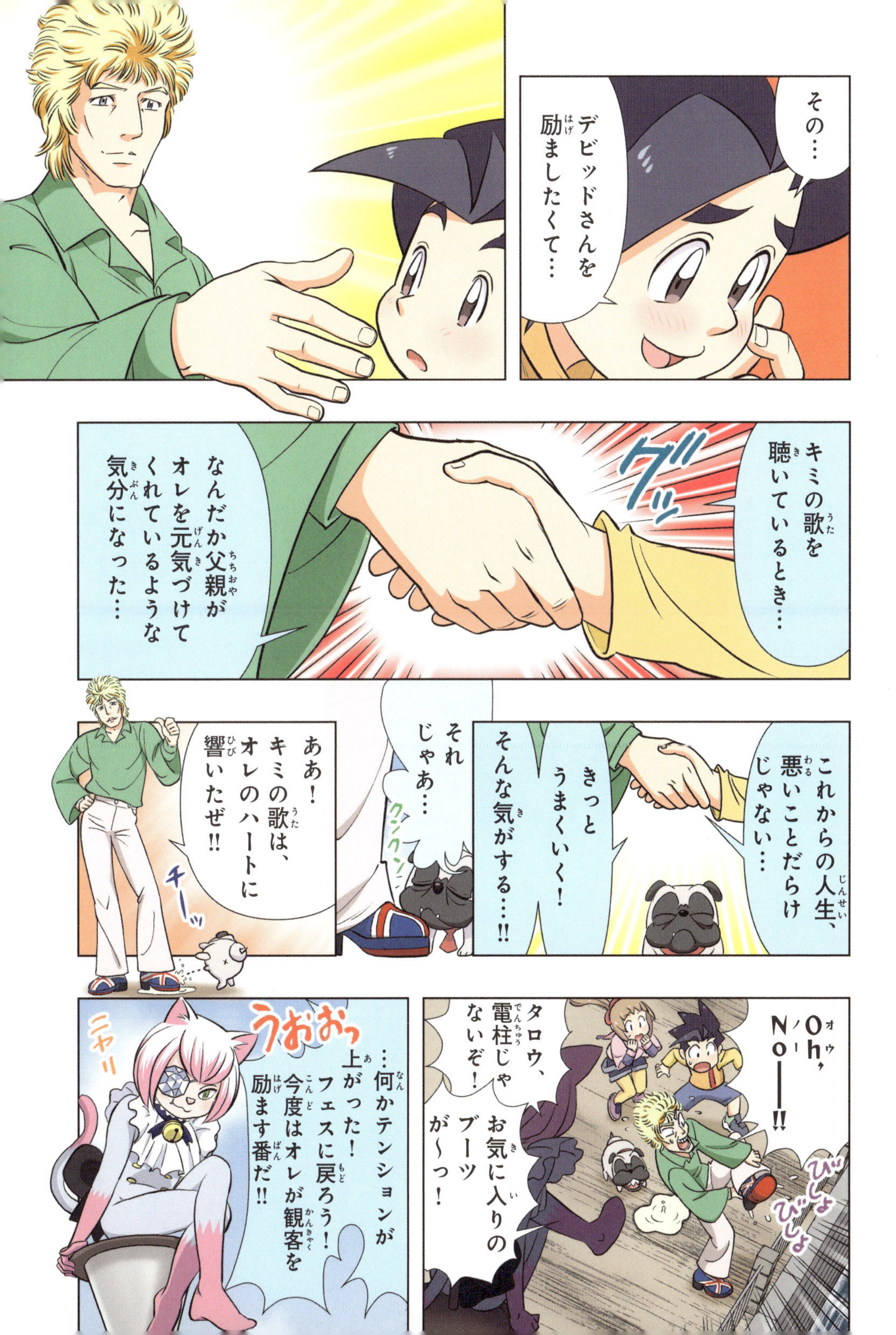
その…
デビッドさんを励ましたくて…
キミの歌を聴いているとき…
グッ
なんだか父親がオレを元気づけてくれているような気分になった…
これからの人生、悪いことだらけじゃない…
きっとうまくいく！
そんな気がする…!!
それじゃあ…
クンクン
ああ！キミの歌は、オレのハートに響いたぜ!!
チーッ
Oh，No――!!
タロウ、電柱じゃないぞ！
お気に入りのブーツが～っ！
びしょびしょ
…何かテンションが上がった！フェスに戻ろう！今度はオレが観客を励ます番だ!!
うおおっ
ニヤリ

ワアアアア
待たせたな…
うわ——っ！すごい歓喜！
ありがとう！キミ達はこのフェスの救世主だ〜〜〜！
いつかまた、いっしょに仕事をしよう！
パシ
これ、ボクの連絡先だ！
クン クン
ぴら
Oliver Oar address
チーッ
うわ——っ！
ビチョ ビチョ
アルマーニのスーツがーっ!!
ボロロン
ふっふっふ…

タイムドリフターどもめ…
いつもいつもうまくいかせてたまるものかニャ…
こーんなコンサートは…
バッ
たたきこわすニャーーーッ!!
ガッシャ
ああ〜〜〜っ!?
ニャーッニャーッ!
何なの、あのお姉さん!
ドカ
バキ
アアー
デビッドさんのライブがメチャメチャだーっ!!

最高にロックだぜっ!!
ワッ

このまま歌うぜっ!!
イエーイ!!
ワァァァッ

どうしてニャ?
会場をメチャメチャにしたのに、
盛り上がるニャ!?
ワケが分からないニャン!!

ワアアァ アアア
スッ
歓声もいいが…
これはまだ“歓喜”じゃないぞ…
パキン
キュイイ
うわぁっ！

コナンの推理NOTE

音楽は世界を結ぶ！世界の民族音楽地図

民族には独自の音楽がある。音楽は、世界中の民族の数だけあるんだ！

世界各地で文明が起こったけれど、どの文明でも独自の音楽がつくりだされた。音楽と同時に、独自の楽器、独自の踊りも生み出された。最初は、音楽は神事などに利用されたが、人はいつしか音楽を鑑賞して楽しむようになった。しかし、人びとが“音楽を楽しむ”ようになったのは、だいぶあとになってからのことなんだ。

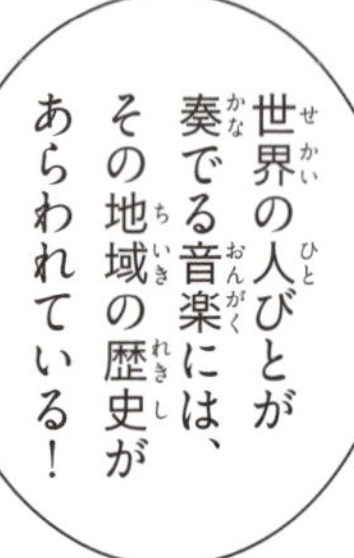

正倉院の楽器

奈良県の東大寺の倉だった「正倉院」は、奈良時代に建てられ、国内外の宝物が「正倉院御物」としておさめられている。ここには、日本古来の楽器だけでなく、世界各地からもたらされたさまざまなルーツを持つ楽器も残されているんだ。残された楽器の中には、“世界最古”や“世界にただひとつ”のものも多数含まれている。当時の楽譜も残されていて音楽の“復元”が進められているけれど、楽器の中にはその演奏方法が不明のものもあるんだ。

世界にひとつの螺鈿紫檀五弦琵琶（※）。

現在のイラク発祥の竪琴である、箜篌。

☞正倉院や奈良時代についてくわしくは、『日本史探偵コナン 第4巻 奈良時代』を読もう！

※通常の琵琶（ギターのような弦楽器）は弦が4本だが、弦が5本あるとても貴重な琵琶。

朝鮮半島や中国大陸から伝わる前の日本では、琴や石笛、琴のような弦楽器などが演奏されていたんじゃよ。

雅楽は「音の正倉院」だ！

雅楽は、2009年にユネスコの無形文化遺産に登録された。

昔の宝物を保存しているのが正倉院ならば、昔の音楽を保存しているのが「雅楽」。雅楽は、奈良・平安時代に伝わったアジア大陸の音楽と日本独自の音楽とが合わさって誕生した音楽とそれによる舞だ。

天皇の住まいや寺社での儀式に欠かすことができない雅楽だけれど、日本に広まった雅楽にもさまざまなものがある。日本に古くからある笛や琴などを用いるものや、大陸から伝わった舞をともなうものなどだ。舞人（舞を舞う人）は、色あざやかな衣装に加え特徴的な面や冠を身につける。右の舞人は、「陵王（左）」「安摩（右）」と呼ばれ、中国に由来する衣装を身につけているんだ。

雅楽はアジア各地の音楽から生まれた！

雅楽の歴史は、5世紀から8世紀にかけてアジアのさまざまな地域の音楽が伝わった歴史と重なる。まず、このころのインドやペルシア（※）でさかんだった音楽が中国に伝わった。中国が隋や唐と呼ばれた時代、中国にはたくさんのさまざまな国の人や文化が都に集まっていたからだ。この中国から、そして一部は朝鮮半島（※）を経由して、海を渡って日本に伝わってきた。日本に伝わったそれら外国の音楽は日本固有の音楽と合わさり、いつしか日本風の音楽に変化していったんだ。

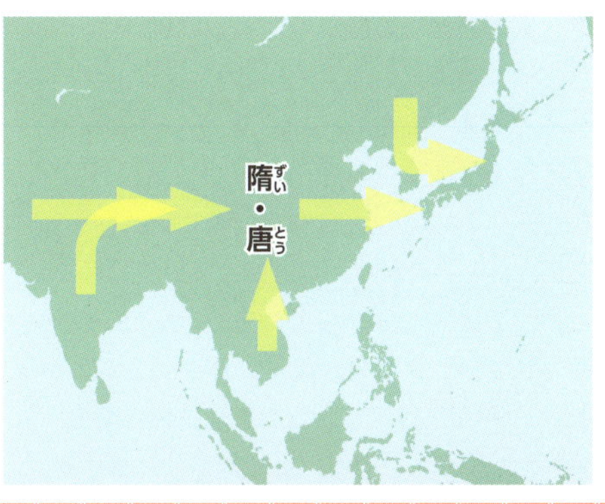

※ペルシア…現在のイラン。当時はヨーロッパとインドの文化が交流する国だった。
※朝鮮半島…日本の九州に近い位置にある陸地。現在の韓国、北朝鮮がある。

世界一周！　音楽の旅に出かけよう！

②ソン

キューバ生まれの陽気なラテン音楽。ギターやマラカス（※）、ボンゴ（※）などの楽器で演奏される。マンボ（※）はソンが由来の踊りだ。

①ゴスペル

19世紀にアメリカの教会で誕生した教会音楽。英語の「God Spell（神の言葉）」からできた言葉で、黒人達の間で歌いつがれてきた。

④アボリジニ音楽

オーストラリアの先住民族アボリジニによる音楽。「ディジュリドゥ」というシロアリに食い荒らされたユーカリの木による楽器で演奏する。

③フォルクローレ

南アメリカを中心に歌いつがれる民族音楽。先住民族とスペインの音楽が混ざり合った音楽で、ポンチョという民族衣装をまとって演奏する。

※マラカス…ヒョウタンなどに種や豆などを入れた、ゆすってリズムをとる楽器。
※ボンゴ…ひざの間にはさんで演奏する、2つ1組の太鼓。

歌の歌いかたも国によってさまざまなんじゃ。たとえば、モンゴルには1人で高い声と低い声を同時に出す「ホーミー」と呼ばれる歌いかたがあるぞ。

⑥ヨーデル

主にスイスやオーストリアで歌われる民謡。地声（普段話す声）と裏声を、交互にすばやく切り替えて歌うのが特徴だ。

⑤北インド古典音楽

打楽器タブラ（左）と弦楽器シタール（右）によって演奏される。「ラーガ」と呼ぶメロディーと「ターラ」と呼ぶリズムが重視される。

⑦フラメンコ

スペイン南部のアンダルシア地方の少数民族に伝えられてきた情熱的なダンス。歌と踊り、ギター伴奏（※）が一体となって表現される。

⑧トーキングドラム

西アフリカの太鼓の演奏法。音の高低や強弱、リズムなどに変化をつけることで、言葉に代わってコミュニケーションをとる役割を果たす。

※マンボ…すばやくリズムをとって踊るダンス。
※伴奏…歌を引き立てるための演奏。

コナンの推理NOTE

音楽家が集まった「音楽の都」ウィーン誕生！

貴族に愛され、やがて大衆の娯楽となった音楽が、クラシック音楽だ！

ハプスブルク家という有力な家系が神聖ローマ帝国（※）の皇帝を独占した時代、ウィーンはオーストリアの首都としてにぎわった。歴代皇帝はこぞって音楽を愛し、すぐれた音楽家をウィーンの宮廷（皇帝の住まい）に招いた。そんなウィーンに、イタリア生まれの歌劇が伝わったのは17世紀前半。18世紀になると歌劇は市民にも広まり、しだいにウィーンは音楽家が集まる街になっていった。

神聖ローマ帝国境界
ウィーン
ハプスブルク家領
ブルボン家領（フランス）

ハプスブルク家

ハプスブルク家はヨーロッパで影響力を持っていた一族だ。オーストリアを足場に、王族との結婚などによりネーデルラント（現在のベルギー、オランダ、ルクセンブルク）やスペインにも支配を広げた。15世紀以降は神聖ローマ帝国の皇帝を代々務めたよ。フランス王室であるブルボン家とは、イタリア半島の支配などをめぐって、激しく対立していたんだ。一族は、その莫大な財力で、音楽のみならずさまざまな芸術をコレクションしていた。

※神聖ローマ帝国…現在のドイツにあった国。10世紀に誕生し、キリスト教会の力が強かった。

神聖ローマ帝国皇帝ヨーゼフ2世は、1760年ごろから、それまで身分の高い人だけで楽しんでいた歌劇を国民に広めたんじゃ。

ここが「音楽の都」だ！

シェーンブルン宮殿劇場

シェーンブルン宮殿は、17世紀末に神聖ローマ帝国皇帝レオポルト1世によって建設が始まり、18世紀半ばに孫の女帝マリア・テレジアによって現在の姿となった。豪華絢爛なフランス王室のヴェルサイユ宮殿に対抗して建てられたともいわれていて、外観は華やか、内装は繊細で上品な装飾がほどこされ、部屋の数は1441もある。劇場も備わっていて、ハプスブルク一族のためにたびたび歌劇が披露された。

ウィーン国立歌劇場

1869年に建てられたのが、ウィーン国立歌劇場だ。とても豪勢な劇場だったけれど、第2次世界大戦（※）で大部分が燃えてしまった。でも、オーストリア国民の音楽への熱い思いで1955年に再建されたんだよ。再建後初の公演では、ベートーベン（→66ページ）が唯一残した歌劇「フィデリオ」が上演されたほか、“歓喜の歌”として有名なベートーベンの「交響曲（※）第9番」が演奏されたよ。

皇帝も作曲家だった！

シェーンブルン宮殿を建設した神聖ローマ帝国皇帝のレオポルト1世は演劇と歌劇の愛好家でもあった。その熱意はすさまじく、国内外で活躍する作曲家を宮廷に招き歌劇を作曲させたほか、自身も作曲を行った。

※第2次世界大戦…1939年から1945年まで続いた世界戦争。オーストリアはドイツ軍などから攻撃を受けた。
※交響曲…管楽器、弦楽器、打楽器など多くの楽器で演奏する曲。

ウィーンに集った音楽家

モーツァルト

演奏旅行の中で、モーツァルトはシェーンブルン宮殿を訪れ、女帝マリア・テレジアに演奏を披露していた。

幼いときから音楽の才能を発揮したオーストリア生まれの音楽家。なんと6歳のときからヨーロッパ各地への演奏旅行を行っていた。25歳からはウィーンで活動し、歌劇などの歌がある曲はもちろん、ピアノのための演奏曲も数多く生み出した。

ハイドン

オーストリアの音楽家。貴族の楽団で楽長を務め、演奏、指揮、作曲を行った。モーツァルトやベートーベンとも親交があったといわれ、この3人は“ウィーン古典派”とも呼ばれる。

ベートーベン

神聖ローマ帝国（ドイツ）生まれの音楽家。宮廷の歌手だった父に音楽を教わり才能が開花した。徐々に耳が聞こえなくなる病気と闘いながら、9曲の交響曲を残した。

弦楽器、管楽器、打楽器など、さまざまな楽器がいっしょに演奏する「オーケストラ」は、ヨーロッパで16世紀ごろに始まったといわれておるぞ!

いまも演奏される歴史ある楽器達

ピアノ

ピアノがはじめて演奏されたのは1768年のこと。18世紀末には、裕福な家庭の娯楽として、人気が高まっていた。この当時のピアノは、弦が細く、現代のものと音の響きが違ったんだ。19世紀前半までに改良が進んで、現代のピアノに進化していったんだよ。

バイオリン

4本の弦を弓で押さえることで、高い音から低い音までさまざまな音を出すことができる。

オーボエ

オーボエは木製の管に息を吹きこんで演奏する木管楽器だ。フランス語で“高い音の出る木”という意味の“オーボワ”に由来といわれている。広く演奏されるようになったのは、17世紀末からで、19世紀なると奏でられる音の数が増え、現在の姿に近づいたんだ。

FILE. 4 奪(うば)われた歌声(うたごえ)

キュラ キュラ キュラ
Samoobsluha
キャアア!!
バッ
742

キュララ

ララ

戦車だわ…
タイムドリフトしちゃったみたいだ…!?

ピリリ
朝陽さん、うめさん!
コナン君!!

いったいどうなってんだ？
謎解きの手がかりを調べてたのに…

何者かが、2人をタイムドリフトさせたみたい…
いま、こっちでも調べているよ！

何か分かったらすぐに連絡するから、それまで待ってて！
分かったよ、コナン！

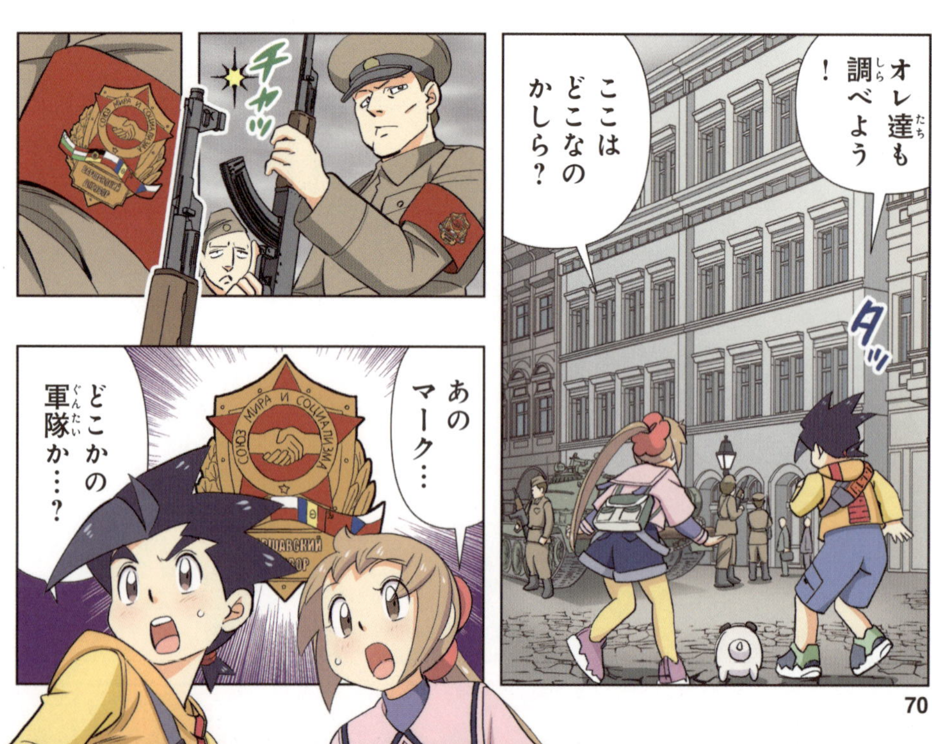
オレ達も調べよう！
ここはどこなのかしら？
タッ
チャッ
СОЮЗ МИРА И СОЦИАЛИЗМА
あのマーク…
どこかの軍隊か…？

あのマークは…
ワルシャワ条約機構軍です！
わっ！
パアァ

ワルシャワ条約機構
ワル…シャワ…？条約機構軍…？
ワルシャワ条約機構とはですね…1955年に、ソ連と東ヨーロッパ諸国など〝東側〟の国ぐにが組織した軍事同盟のことです！

ぐ、軍事同盟!?

北大西洋条約機構(NATO)
そうです！〝西側〟…アメリカや西ヨーロッパ諸国が組織した北大西洋条約機構…
通称NATOに対抗するために…
長い間、ソ連とアメリカは対立関係にあったのです！

ソ連って？

ソ連とは…
正式名称、ソビエト社会主義共和国連邦！
ソ連
東ヨーロッパ
アジア
日本
中東
ドーン
1922年から1991年まで存在した国です！

ソ連解体後は、ロシア、ウクライナ、カザフスタンなど、
15の国に分裂しました…
15の国にっ!?
ものすごく大きな国だったのね…
バラバラ

はい…すべてにおいて、
強力な国のひとつでした…
バン

ですから軍事同盟を結んだ国ぐにに対しても…
武力でもって人びとの自由を抑えつけていたんです…

うかつに近づかないほうがいい人達ね…
そうだな…

何てことをするんだ！
ひどい！
ワァァッ
何だ!?

ワー
ワー
何をしてるんだー!?
ドサ
ドサ
バッ
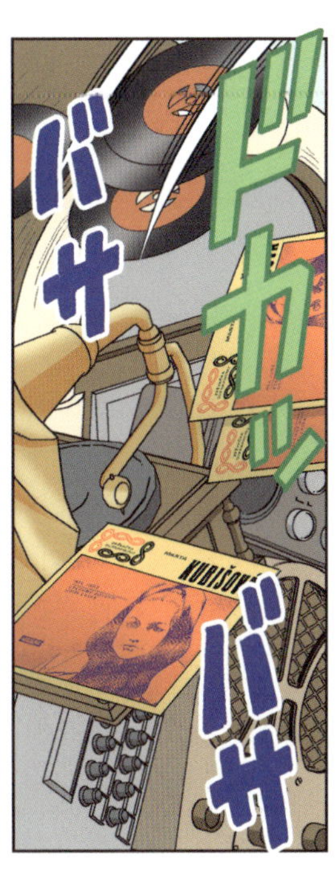
ドカッ
バサ
バサ

HEJ, JUDE
VŠECHNY BOLESTI
UTIŠÍ LÁSKA
バサ
MARTA
KUBIŠOVÁ
「HEY JUDE」!?

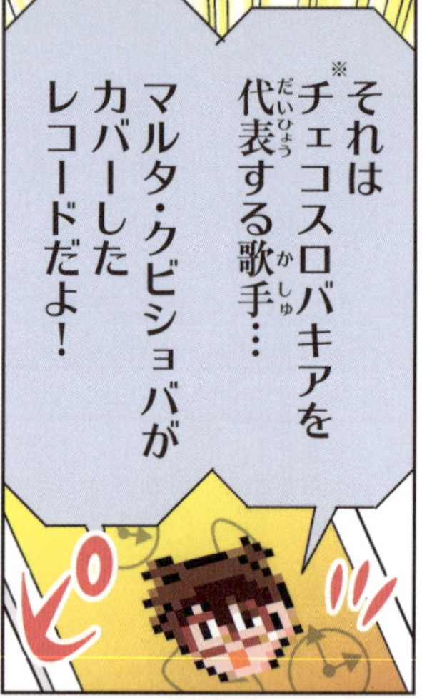

※チェコスロバキア…現在のチェコ共和国とスロバキア共和国が併合されていたときの名称。

ボン
うわぁあああっ!

ひでェ…
パチパチ
いつまでこんな冬の時代が続くんだ…

冬…?

レコードを焼くなんて…
ヤメロ――ッ!!

だれだ!? いま怒鳴ったヤツ！
ギャーーーッ
逮捕しろっ!!
バッ
ヤベ！

ガッ

ダーッ
バッ

軍に逆らうなんて、ムチャな子ども達だ…
フーッ
ハッハッ

でも、胸がスッとしたぜ！
ニヤ

あなたは…〝冬の時代が続く〟って話してた人…
〝冬〟…Xのヒントとつながりが…!?

あの…くわしく教えてくれませんか？
〝冬の時代〟って何なのか！

お前達は…
スタスタ
信用できそうだ、…ついてこい！

オレはペトル、お前達は？
ボクは朝陽！
うめ！
バフッ！
と、タロウ！
ガラ
ガラ

よい…
グッ

しょっと！
ドン

隠し階段！
ガチャ
こっちだ！
カン
カン

ようこそ！
パチン
秘密のラジオ局へ！

ラジオ局!?
ドサッ
いま、オレ達の国の首都プラハは、ワルシャワ条約機構軍が支配していて…

テレビやラジオまで、彼らに都合よく利用されているんだ…
パチン
キュイイ
市民を洗脳するためにね!
洗脳?

ソ連や政府は、オレ達市民が自由に発言し行動されては困るんだ…
自分達が好き勝手に国をコントロールできなくなるからな!

そんなっ!
その勝手が、ずっとまかり通っているのがチェコスロバキアだ!

オレ達、市民にとっては…
自由なんかない冬の時代なんだ!

それが〝冬〟の時代…!

きっとこれが…
〝氷〟なんじゃ…

だけどよ…

オレは政府の禁じる自由な放送をここでやって…
バッ
この国に春を呼ぶつもりなのさ!!

氷が溶け始めるとき、歓喜が傷をいやす!

朝陽!春になれば氷が溶け始めるわ!
Xのヒントか!
ペトルさん、オレ達も手伝うぜ!!

ここからマルタさんの「HEY JUDE」を放送すれば…
きっと、みんな喜ぶわ!
だが、そのレコードが焼かれちまった…
それなら…
ドン
オレが歌うぜ!
HEY JUDE

それじゃ、みんなが苦しんじゃうわ！
デビッドさんも認めた美声だぞォっ!?
でも音痴だもん！
おいおい、ここで冷戦なんてやめてくれ！
プイ
すまん！
ゴン
レコードは焼かれたが…
実は…
チャッ
HEI JUDE MARTA
C46
maxup
マルタの「HEY JUDE」はここにもあるんだ…
何ですか、それ？
ガチャ
カセットテープさ…最近発売された小型の記録メディアだよ！
これなら、軍も見つけづらいってもんさ！
ウィイイイ
Hey Jude
これがマルタさんのHEY JUDE…
なんて力強い歌声なんだろう…

そうさ、この歌がある限り……
オレ達は…
いつか必ず、また春が訪れると…
信じ続けられるんだ!

タタタタタッ

バァン
見つかった!

ガン
ガン

ここから逃げるんだっ!!
カシッ

この歌を守ってくれ!!

ターーン
バババ
バババ
ギャーーッ!!
ペトルさん―――っ!!

いたぞっ!
バッ
止まれっ!!

クル
こっちだ!

ババッ
クル
待て!!

どうしよう、朝陽…もう逃げられない!
ハァハァ
でも…この歌だけは守らないと…
ゼーゼー
バッバッ

POST

そうだ!
バッ
ガサッ

ガリガリガリ

頼む!
ガタン!

もう逃げられないぞ!
ダーッ

捕まるもんかっ!!
ダッ
キュラララ
ウソ！
ドウ
ウワーーッ!!
キュイィィ

音は数字であらわせる!?「ドレミ」の発見！

音楽の“真実”を見破ったのは、実は数学者だった!?

ピアノには全部で88の鍵盤があるよ。その鍵盤を弾くと、「ド」の鍵盤なら「ド」、「レ」なら「レ」と、鍵盤ごとに決まった音が鳴るんだ。このピアノが奏でる「ドレミ…」の音は、ある〝数の法則〟で決められているんだ。その数と音楽の関係を発見し、「ドレミ」につながる法則をつくったのが、古代ギリシアの数学者ピタゴラス（→86ページ）だ。「ドレミ」発見の真実を探しにいこう！

「ドレミ」はイタリア語

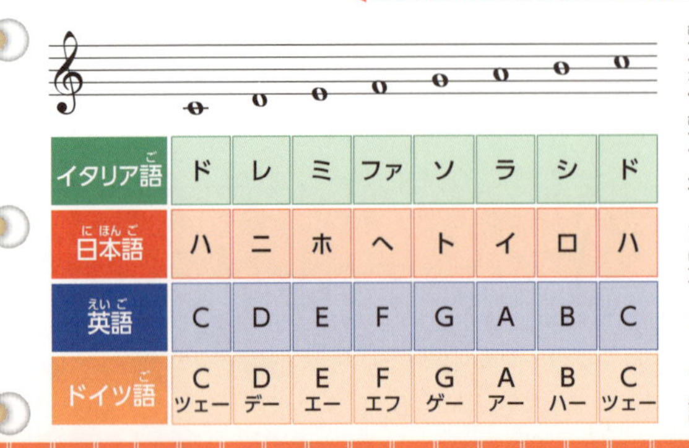

イタリア語	ド	レ	ミ	ファ	ソ	ラ	シ	ド
日本語	ハ	ニ	ホ	ヘ	ト	イ	ロ	ハ
英語	C	D	E	F	G	A	B	C
ドイツ語	C ツェー	D デー	E エー	F エフ	G ゲー	A アー	B ハー	C ツェー

左の線と丸で音をあらわしたものが、現代の楽譜だね。線は「五線」、丸は「音符」、左端の記号は「ト音記号」というよ。音符は「ドレミファソラシド」と読むことが多いけど、この「ドレミ…」は実は日本語じゃなくて、イタリア語なんだ。キミは知っていたかな？　左の表を見てみよう。英語とドイツ語は同じ文字なのに読みかたが違うんだね。

古代ギリシアでは、音楽をあらわす言葉は「ムーシケ」というぞ。それがルーツになって、英語で音楽は「ミュージック」になったんじゃよ。

「ドレミ」の階段は、12段！

階段を上るように、高くなる音の並びを音階というよ。音階は低い“ド”から12の階段を上ると、高い“ド”の音になるんだ。「ドレミファソラシ」の白い段のほかに、黒い段があるんだよ。

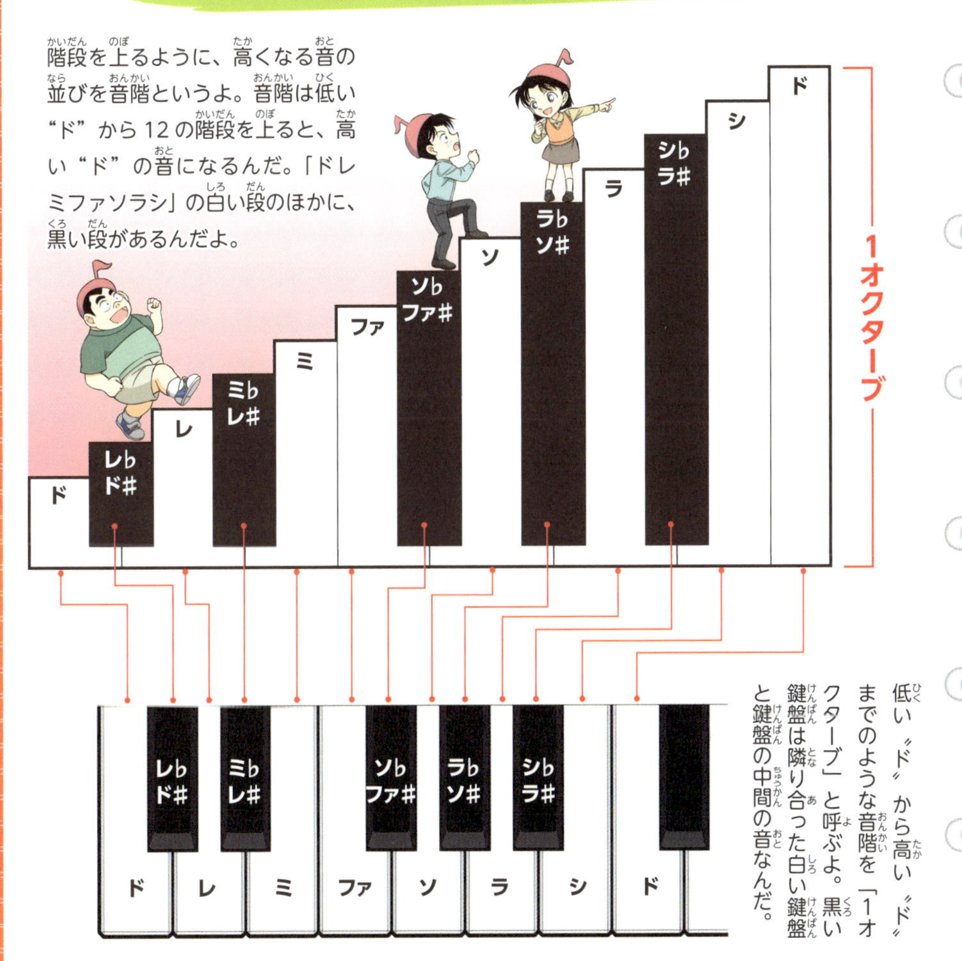

低い“ド”から高い“ド”までのような音階を「1オクターブ」と呼ぶよ。黒い鍵盤は隣り合った白い鍵盤と鍵盤の中間の音なんだ。

十二平均律

ピアノの“ド”から“シ”までは、音が12等分されているんだ。これを「十二平均律」と呼ぶよ。黒い鍵盤にある記号は「♭(フラット)」＝「半音下げる」や「♯(シャープ)」＝「半音上げる」という意味。音の差が等しくなるように、黒い鍵盤が白い鍵盤の間にあるんだ。

音の「高さ」を見つけたピタゴラス

ピタゴラス

古代ギリシアの数学者ピタゴラスは、鍛冶屋達が「カーン」「カーン」と、ハンマーで鉄をたたく音を聞いていた。そのとき、軽く響く“高い音”と、重く響く“低い音”などたたく音にいろいろな高さがあることに気づいた。そして、音が高くなったり低くなったりするのには、ハンマーの重さに違いがあるからだと突き止めたんだ。

「音」って何だろう？

何かが振動することで、音が発生する。発生した音は、右の図のような波の線であらわすことができるよ。上へ下へと往復して波のようになる線が“振動する数”＝“音の高さ”なんだ。１秒の間に振動する数が多いほど、私達には“高く”聞こえ、振動が少なければ“低く”聞こえる。そのしくみを、次のページで紹介するよ！

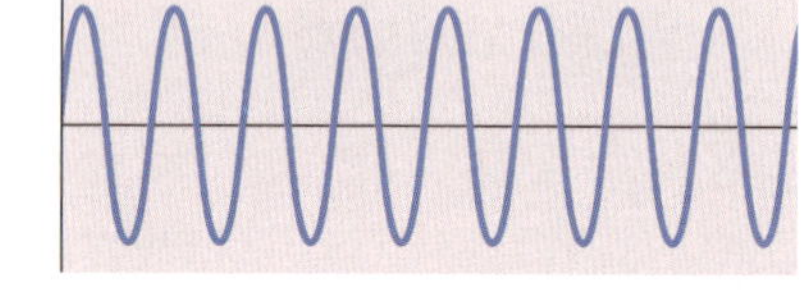

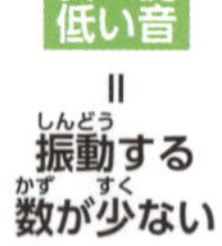

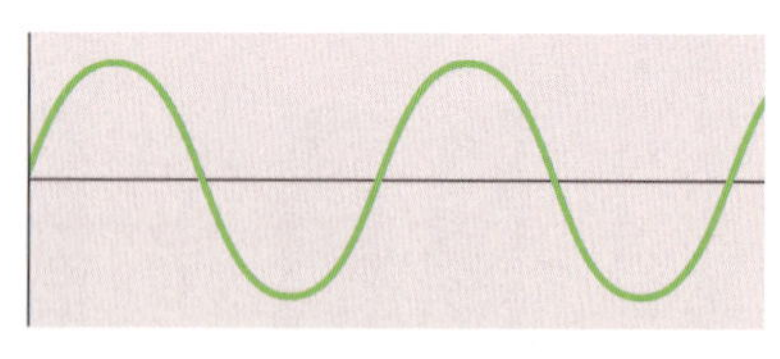

29音も音がある!? アラブ音楽の音階

アラブ（※）音楽の音階は、ヨーロッパの「ドレミ」の均等な12音階と違い、より細かく、そして不規則に区切られている。どれほど細かいかというと、モロッコ（※）では26、チュニジア（※）では29もあるといわれている。この独特の音階を〝マカーム〟と呼ぶ。アラブ音楽は〝マカーム〟と〝イーカー（リズム）〟を決めて演奏されるんだ。

※アラブ…アラビア語を話す人びとが多く暮らす地域。

※モロッコ…アラブ地域の国のひとつ。海をはさんでスペインと向き合うアフリカ大陸北西の国。

ピタゴラスは、あらゆるものを数字であらわすことができると考えて、音の高さから天体の動きまで、あらゆるものを研究したんじゃよ！

モノコード

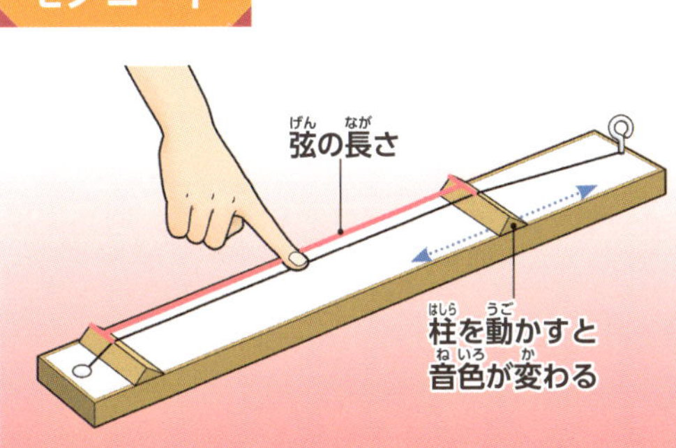

モノコードは、ピタゴラスが発明したといわれている実験道具だ。箱に弦を１本張り、指で弦をはじいて音を出す。弦を押さえる柱の位置を動かすと、音色も変わる。ピタゴラスはこの道具で、弦の長さと音の変化を観察し、弦が短くなると１秒間に振動する回数が増え、音が高くなると突き止めた。モノコードは空き箱と輪ゴムでつくれるよ。左のイラストと下の図を見てキミも実験してみよう。

弦の長さを３分の２にしていくと…

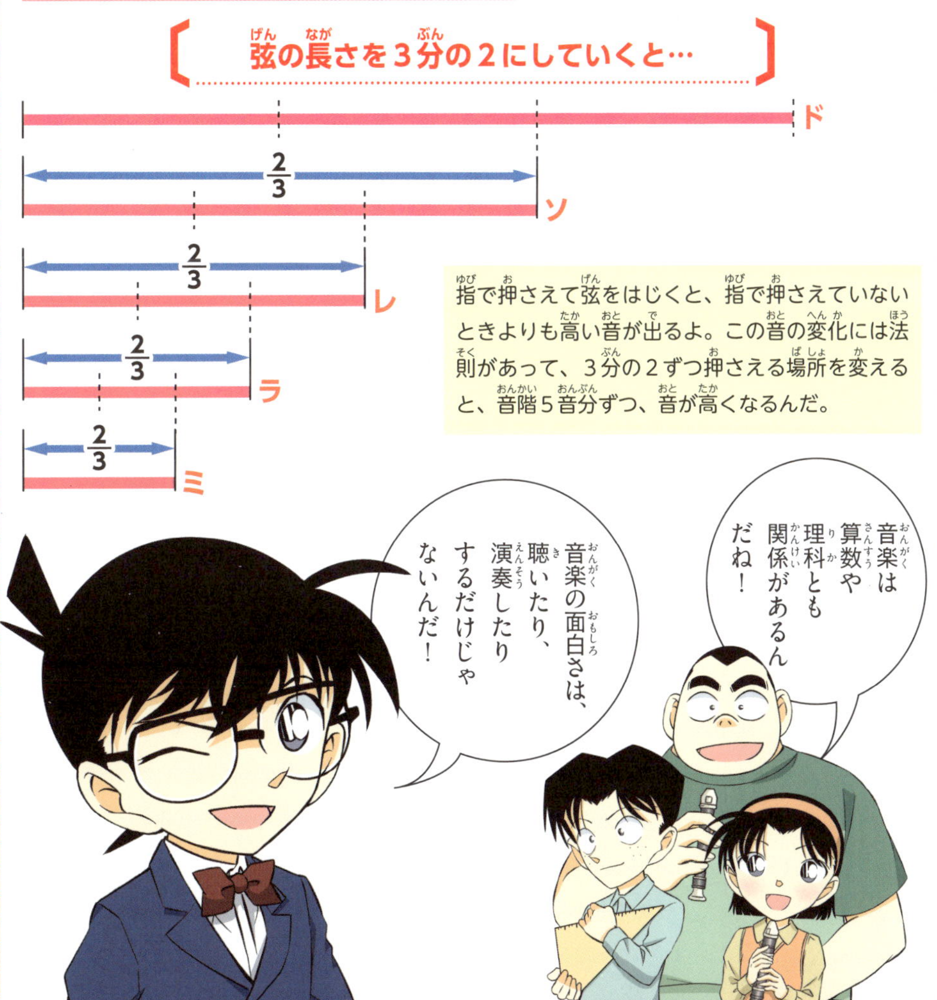

指で押さえて弦をはじくと、指で押さえていないときよりも高い音が出るよ。この音の変化には法則があって、３分の２ずつ押さえる場所を変えると、音階５音分ずつ、音が高くなるんだ。

※チュニジア…アラブ地域の国のひとつ。海をはさんでイタリアに面するアフリカ大陸北端の国。

コナンの推理NOTE

音楽を記録し、再生する工夫と挑戦の歴史

素晴らしい音楽を何度も聴きたい！　音楽を後世に残した機械とは？

自分が生まれる前の音楽を聴いたり、自分がいない場所で演奏された音楽を聴いたりすることができるのは、音楽を記録し、再生できる機器のおかげだ。私達が気軽に場所や時間を問わず音楽を聴けるようになるまでには、音楽を記録・保存し、より正確に再生できるようにするために努力した人びとの長い歴史があったんだ。

ネウマ譜

音楽を正確に記録し、人に伝えるために誕生したのが「楽譜」だ。左のイラストは、中世のヨーロッパで書かれた「ネウマ譜」という楽譜。ネウマという記号で音を記録した。楽譜によって、作曲者以外の人も曲を再現・演奏できるようになった。

自動演奏ピアノは、音の強弱や伸びまでコントロールし、ピアニストの演奏を再現できることから「再現ピアノ」とも呼ばれたんじゃ。

音楽を自動で演奏する工夫

手回しオルガン

ハンドルを手で回すことで、あらかじめ準備された音楽をオルゴールのように奏でることができる。

オルゴール

もとは時計塔の鐘に代わるものとしてつくられた。その美しい音色をいつでも聴きたいという人びとの思いから、現在のようなオルゴールが開発された。

自動演奏ピアノ

「ピアノロール」と呼ばれる厚紙に記録された楽譜を読み取り、自動で演奏できるピアノ。ピアノロールには、音に対応したたくさんの穴が開いていて、その穴から空気を吸いこむことで鍵盤を動かし、音を出すんだ。

自動演奏楽器は工芸品として、現在もつくられ続けているぞ！

アナログからデジタルへ！

レコード

レコードプレーヤーの針が、レコードの表面の溝「音溝」に触れて振動することで音が鳴る。ステレオという方式で録音した音源は、左右２つの独立したスピーカーで聴くと、音が立体的に感じられる。

蓄音機

1877年にトーマス・エジソン（※）が世界初の録音装置「フォノグラフ」を発明。その後、1887年に右のイラストのような、「グラモフォン」という円盤レコードを再生する蓄音機（※）が登場した。

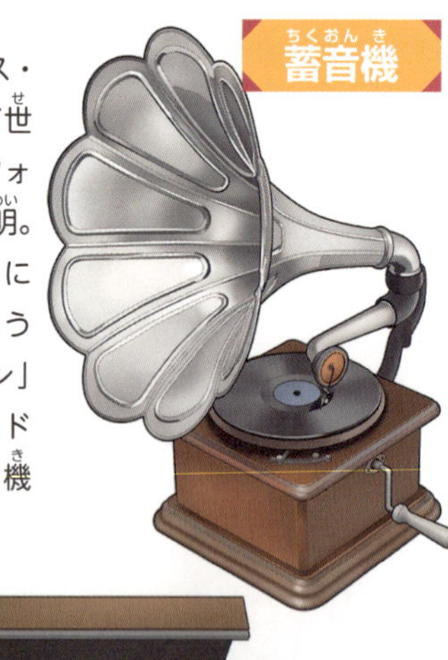

音楽を持ち歩く！携帯音楽プレーヤー

音楽を好きなときに好きな場所で聴くというスタイルを生み出したのが、１９７９年に発売したステレオカセットプレーヤー「ウォークマン」だ。カセットテープをセットし、ヘッドホンを左右の耳に当てれば臨場感ある音を楽しむことができた。そこから、もっと音楽を生活の中で楽しみたいという思いが、音楽プレーヤーを進化させていったんだ。

※トーマス・エジソン…電話や白熱電球などを発明したアメリカ人。発明王と呼ばれる。
※蓄音機……レコードの溝に針を接触させ、録音した音を再生させる装置。

2001年発売の「iPod」は、デジタル化された楽曲の管理のしやすさや、直感的な操作のしやすさで、デジタル音楽プレーヤーの革命児となったんじゃ。

MD

1992年に登場。ミニディスクの略で、CDよりも小さく、持ち運びが楽だった。

CD

1982年に登場した。音楽をデジタルデータで記録・再生できるようになった。

カセットテープ

1960年代に誕生。磁気テープ（※）で音を記録・再生する。裏返して使うことで表と裏（A面とB面）に音を録音できた。

記録するモノがいらないデータ配信へ！

世界で最初の「ラジカセ」は日本製！

“ラジオ”＋“カセットテープレコーダー”で略して“ラジカセ”。1967年に発売が始まった。

※磁気テープ…磁気で情報を記録するテープ。

FILE.5 引き裂かれた人びと

パアン
キュイイ
イイイ
イイ
ドスン
ここは？
バッ
うめっ、どこだ――っ!!
チャッ
ふっふっふっ、見つけたぞ…！

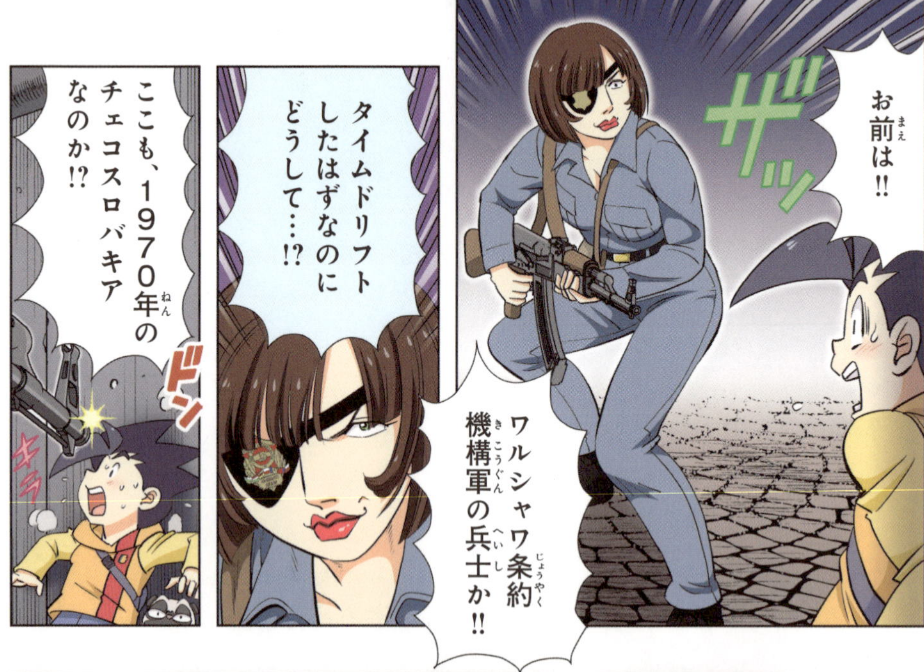
お前は!!
ザッ
ワルシャワ条約機構軍の兵士か!!
タイムドリフトしたはずなのにどうして…!?
ここも、1970年のチェコスロバキアなのか!?
ドン
ギラ

チェコスロバキア?
チャッ
いいや、違うよ…

ここは1987年!
バッ
場所はドイツ!
そしてェ〜〜〜〜…

これこそが世界を2つに分断する…
ベルリンの壁だ――っ!!!
ドーン

ベルリンの壁!?
西側世界と東側世界の境界線さ!!
ハッ
ハッ

お前ら2人を、東西ドイツ別べつに飛ばしてやった！
フッ
これで…Xの挑戦状の謎解きも不可能になったな！
!!
お前、何者だ!?
フフッ…
ぐっ
ビッ
フフン！
ポロロン
ああっ!?デビッドさんのギタリスト！
ずるっ
挑戦をクリアしたければ壁を越えることニャ!!
ッ
バ
絶対にムリだけどニャ!!
ああっ、キャラット!!

ザマーミロニャーーーッ!!
ピュー
ジャマしてたのはキャラットだったのか…

うめっ、うめーっ!!
壁の向こうにいるのかーっ!!
う…ん…

ガシ
こんな壁くらいなんだ!
バッ
キョロ
キョロ

キラッ

パァン

わーーーっ!!
ビビッ

ドサ
わ・わ・わ…!!
だいじょうぶか――っ!?
ダッ
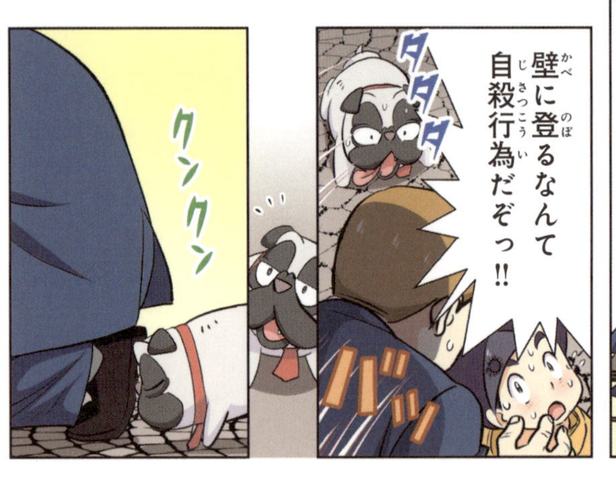
タタタタ
壁に登るなんて自殺行為だぞっ!!
バッ
クンクン

チーーッ

うわあ！
アルマーニのスーツが～っ!!
ビチョビチョ

…って
同じことが昔もあったような…？
ハッ
ニ～

まさか…
タロウ!!
オ、オリバーさん!?
バウ
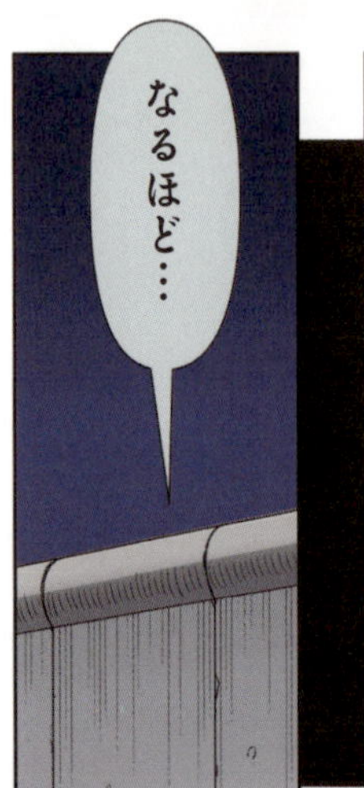
なるほど…

キミらが未来からきた子どもだったとは…

だとすると…壁の向こうのうめさんが心配だ…
フー

壁の向こうは、ソ連が支配する場所だ…
ソ連！

向こう側は東ベルリン…
ヒュウウウウ
そして、こちら側が西ベルリン…
この高い壁で人びとの移動は厳しく制限されてるんだ…

それに、東ベルリンから、西ベルリンへの人の移動は不可能だ！
バッ
ムリに壁を越えようとすれば、国境警備隊に逮捕されるか…

最悪射殺されてしまう…！

うめっ！
返事してくれっ!!
ぶじなのか!?

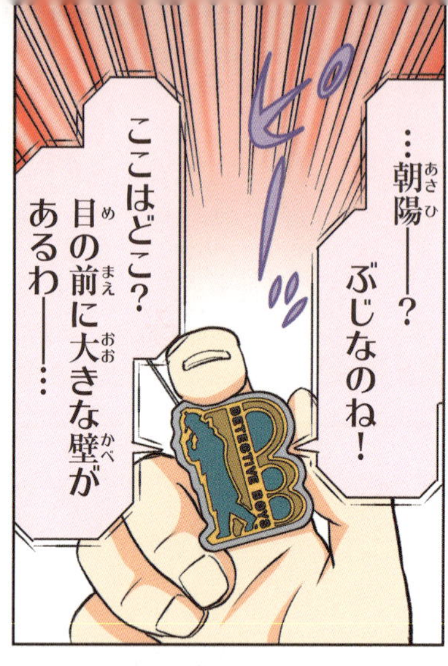
…朝陽——? ぶじなのね!
ピー
ここはどこ? 目の前に大きな壁があるわ——…

うめ——っ!!
ホッ

うめさん、ボクは18年後のオリバー!
いま、壁の向こうで朝陽君といっしょだ!
えっ、オリバーさん!?

手短に言うよ! キミはいま、東ベルリンにいて非常に危険だ!
急いで壁に向かって右側へ、壁に沿って歩くんだ!

しばらく進むと古びた教会がある!
そこにカタリーナというボクの友人がいる!
そこにいけば安全だ!

教会の…カタリーナさんに会えばいいんですね!
ザ…
ザザ…
うめっ!

絶対に迎えにいくから！
待ってろよ!!
うん！
待ってるね！
DETECTIVE BOYS
ピー!!
オリバーさん…
力を貸してください！
こう言ったよね…

18年前に！
〝いつかまた、いっしょに仕事しよう〟って！
カチャ
A
HEI JUDE MARTA
maxup
C46

そのカセットテープ！
あのときとっさにオリバーさんの住所を書いたんだった！

ある日突然、キミからカセットテープが送られてきたことに驚いたけれど…
同時に、マルタの「HEY JUDE」にも心打たれたんだ！

この西ベルリンは、いま、音楽の街として栄えているんだ！
世界中の音楽家が集まって活動をしているのさ！
音楽の街!?

そして、いつかチェコスロバキアが自由になるとき…
このテープをチェコスロバキアに届けるためにも…

さあ！東ベルリンにうめさんを助けにいこう！
オリバーさん、ありがとう!!

タタッ
東ベルリン
バッ
教会って…
ここかしら？
タッ
音楽だわ！
ガン
ガン
ピタッ
止んだ…
ガチャ
ギイイ
だれかしら？
カタリーナ・シュルツ

私、うめって
いいます！
ここにいくよう
言われて…
だれに？

オリバー・
オールさんです！

入って！

だいじょうぶ…
オリバーの
知り合いよ！

サッ
東ドイツ軍
じゃなかった
…
ガタッ
ガタ
ガタ
よかった
…
えっ…
何？

東ベルリン秘密ライブ会場へようこそ！
秘密ライブ会場!?
東ベルリンは、ありとあらゆる自由が制限されているの…
音楽もそのひとつ…
でも歌には、人の心をひとつにするものすごい力がある…

その歌で市民が団結し、〝政府はまちがってる〟って声を上げるのを…
この国の支配者達はおそれている…

まるで、チェコスロバキアと同じだわ…

私達は断じて黙ってはいない！
ピッ
オリバーと私達にはすでにある計画まであるの！
計画!?

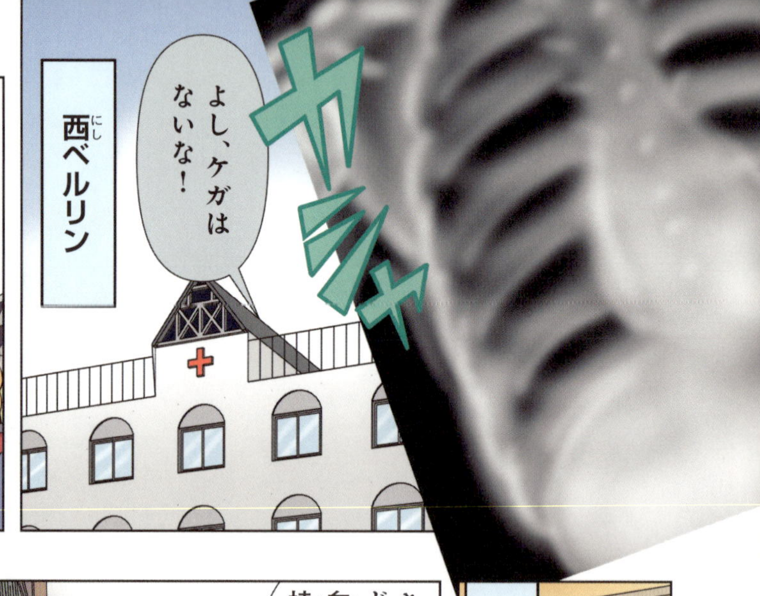
カシャ
西ベルリン
よし、ケガはないな！

オリバーさん、オレのこと…そこまで…
万一のためさ…
タッ
カサカサ

オリバー事務所

さあて、どのレコードを向こうに持っていくか…
バサバサ
オリバーさん、何を悠長にレコードなんて選んでるんだよ～っ!!

朝陽君の気持ちは分かる！
でも、東ベルリンにはいま、これが必要なんだ！
ATOM

えっ!?
朝陽君は、大好きな曲が急に聴けなくなったらどう思う？

それは…
つらすぎる…
コク
コク

だろう…
だから、こっそり音楽を届けるんだ！
東ベルリンではありとあらゆるものが制限されているから…
彼らに、元気が出る音楽を届けるんだ!!
MiS

キュッ
そうか、歌が…
人の心に力を与えるんだよね！

さあ！
東ベルリン潜入作戦、開始だ！

コナンの推理NOTE

差別と戦争をなくせ！アメリカを変えた音楽の力

ひとつの国の政治や文化を大きく動かした、歌と音楽の力を学ぼう！

公民権運動

1950年代後半から60年代前半にかけてアメリカで行われた、黒人による運動。当時のアメリカでは、黒人達への差別や暴力が、奴隷制度がなくなったあとも根強く残っていた。しかし黒人達は団結して抗議し、白人達と対等な権利と自由を求めたんだ。この運動の結果、肌の色や宗教による差別を禁止した公民権法という法律が定められたよ。

公民権運動の指導者の１人として有名なキング牧師。黒人の自由と権利を懸命に訴えたが、1968年に暗殺されてしまった。

ビリー・ホリデイ「奇妙な果実」

女性ジャズ歌手のビリー・ホリデイが1939年に発表した「奇妙な果実」は、アメリカ南部の人種差別の痛ましさを歌った曲。歌詞は、黒人に対する理不尽な暴力を告発するような内容となっている。公民権運動が活発だった1965年には、同じく女性ジャズ歌手であるニーナ・シモンがこの曲をカバーし、黒人差別への怒りを歌った。その後も、この曲は人種差別と闘う人びとに強いメッセージを与え続けているんだ。

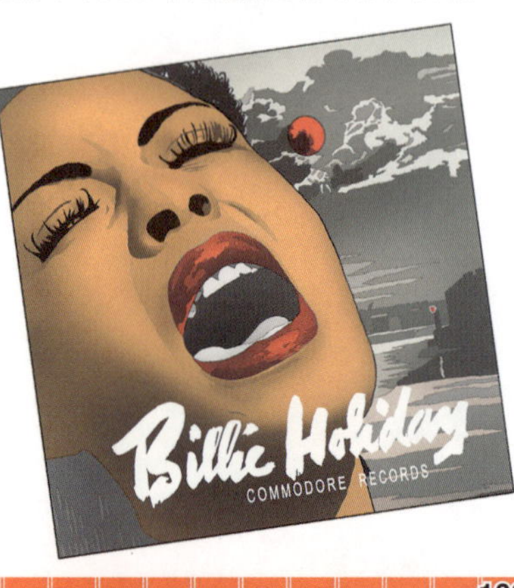

自由の国アメリカではいつの時代も、多くの有名歌手が音楽を通じて、差別や戦争に反対する意思を示してきた。こうした政権や政治に対する主張や抗議を歌詞に込めた楽曲を「プロテストソング」と呼ぶんだ。プロテストソングは、多くの人びとの心を動かし、行動を起こすきっかけをつくった。そして、その行動の結果が、国の歴史さえも動かしていったんだ。

ベトナム反戦運動

1960年から75年までの間、ベトナム国内は南ベトナムと北ベトナムで内戦が起きていた。アメリカは、南ベトナム支援のために、北ベトナムへの爆撃や南ベトナムへ兵士を送るなどしたため、ベトナム国内での争いは大きくなっていった。その一方、アメリカ国内は、若者を中心に戦争反対を訴える運動が起こった。ミュージシャン（※）達は音楽で愛と平和を訴えた。

1969年開催のウッドストック・フェスティバル。大トリは黒人のロックアーティスト、ジミ・ヘンドリックスだった。

ボブ・ディラン「風に吹かれて」

1963年に発売されたボブ・ディランの「風に吹かれて」は、貧困や戦争、差別など、簡単には解決しない問題に対して問いかける歌詞が印象的な曲だ。公民権運動の中で、プロテストソングとしても多くの人びとに歌われた曲でもある。現在もなお、平和を願う人びとに国を超えて歌われているんだ。この曲をはじめ、聴いた人の心に強く響くボブ・ディランが書く曲の歌詞は世界中で愛され、2016年にはノーベル文学賞を受賞したよ。

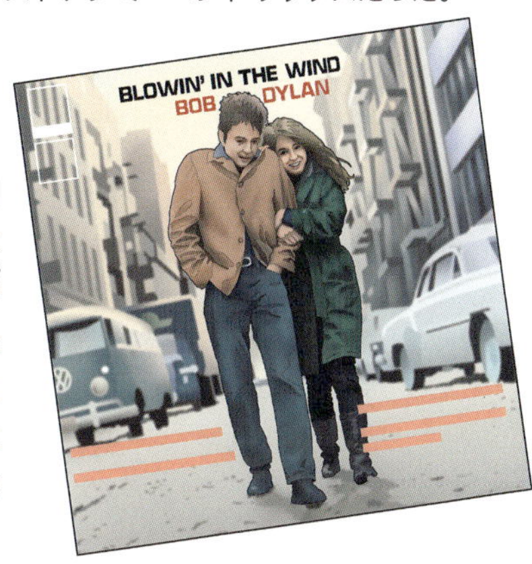

「奇妙な果実」を作詞・作曲したエイベル・ミーアポルやボブ・ディランは黒人ではなかった。アメリカ国内の差別をなくそうという考えは、人種を超えて広がったんじゃ。

☞ベトナム戦争についてくわしくは、『世界史探偵コナン 第12巻 月面着陸の真実』を読もう！
※ミュージシャン…音楽を演奏したり、歌を歌ったりする人のこと。

FILE. 6 希望は壁を越えて響く

数か月かけて人力でひそかに掘った…
秘密のトンネルさ！
ヒュウゥゥゥゥ

ガラララ

カシッ

せっ、せまい…!!
ザッ
ザッ
少しの辛抱だ!!

うめ、待ってろよ…
いま、迎えにいくからな！
ザッ
ザッ

何？
しっ！
おい！ どうやら開通したばかりのトンネルのようだぞ…

ピカッ
ザッ
壁を越えようとする
愚か者が、
後を絶たないな…
ジャリーッ

東ドイツの
国境警備隊
だ…
それって
ヤバいん
じゃ…

バカは…
チャッ
この銃で
治してやるしか
ないぜ！

ぐ…

ボロ
!!

ガララッ
そこかぁ！
バッ

バフッ バフッ！
ダーッ
何だ、ノラ犬か…

あっちいけ ブサイク犬!!
ヒーヒー！
バッ

この抜け道は もう使えない…
スーッ

新たなトンネルを掘るには数か月はかかる…
そんなっ！ 待てないよっ!!

ほかに手段はないのっ!?
残るのは…危険な方法しかない…

たかが壁くらい、よじ登ってやる！
また撃たれたいのか!!
ダッ

何で…

何で壁1枚がこんなに……
遠いんだよォ～!!

ベルリンのみんなが…
そう思っているんだ…

ピー
ガガガ
うめっ!?

うめっ!
ザー
うめっ!!

遠すぎて交信できないか…
ぎゅ

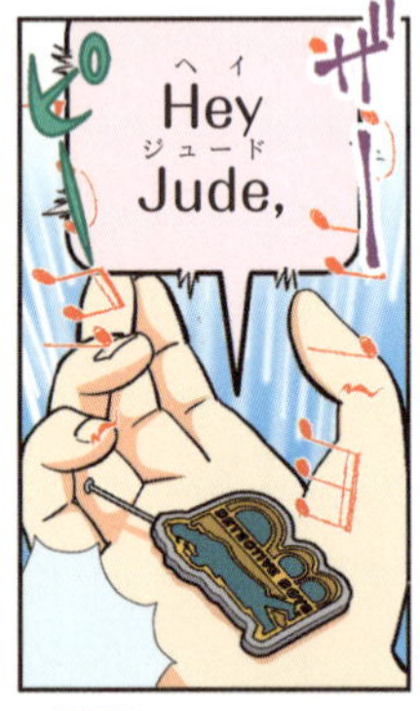
ピー
ザー
Hey Jude,

don't make it bad
ザ
ザ

うめが壁の向こうで歌っているんだ…
Take a sad song
and make it better
やっぱ、うめは歌がうまいなぁ…
グッ
ぐすっ
ザー

たとえ危険でも…方法なら…
バッ
まだあるんだよね？

それに賭けよう、オリバーさん！

スマタンとタロウは…
置いていってもらうことになるよ…
えっ!?

タロウのファインプレーも、未来からのサポートも…
受けられない…
それでもやるかい、朝陽君!?

ガッ
うん、やるよ！
よし、分かった！
正面突破でいくぞ!!

これは前代未聞ですよ！
スマタンを置いていくなんて！
どうやって朝陽さん達と連絡を取り合えばいいんですか!?

しかたがない…
怪しいものが見つかれば…その瞬間アウトだ…
でも…
いや…そのとおりですね…

朝陽さん、気をつけてね！
ぶじに壁を越えろよな！

ありがとう、みんな!!

いいかい…
これから向かうのは
チェックポイント
チャーリー…
東西ベルリンの
境界線上にある
国境検問所さ…
検問所を通る者は、
厳しくチェックされる！

音楽を
密輸しようと
しているボクも…
素性の怪しい
キミも…
とても通れる
場所じゃない…

ということで…
ゴソ

偽造パスポートを
用意した…
偽造
パスポート！
サッ

これを使う以上、もしバレたら命の保証はない！
それでもやるかい？

ガチャ
分かった！
いこう！

タロウ、いってくるぜ！
ヒョコ
必ず、うめを連れて帰ってくるからな！

バフ

ウルル
バババフウン

ブロロ

バフウウン

ここが検問所だ！
気をしっかり！
キキ
ゴクリ…
次！

パスポートを！
ホッ

ニコッ
スッ

じっ

ダラ
ダラ

観光か？
それとも
仕事か？
ポン

仕事です！
大道芸のショーを
披露しにいくんです！

大道芸？
お前達
2人で!?

では…
ここで
やってみろ！
ニヤッ

ザザ
いま!?
ここでっ!?
芸人なら
できるだろう？
バッ

ガチャ
簡単なもので
よければ…

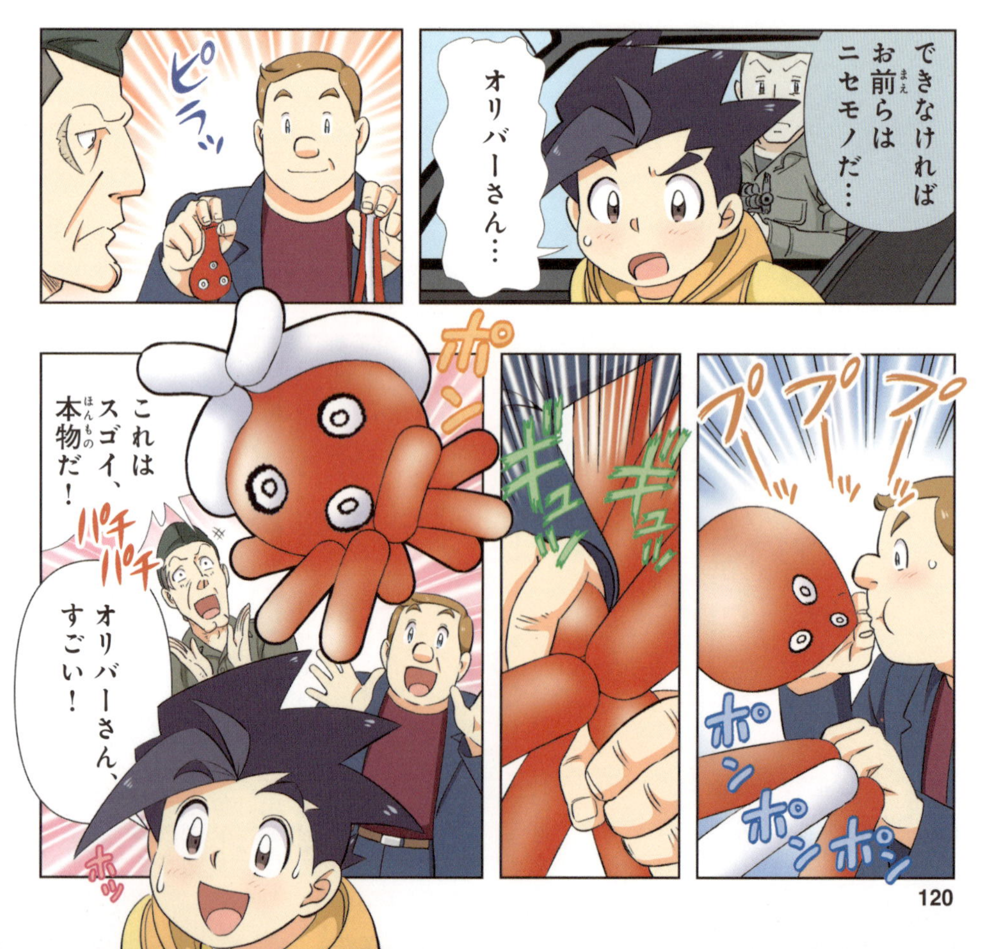
できなければ
お前らは
ニセモノだ…
オリバーさん…
ピラッ
プーッ
プーッ
プーッ
ポン
ポン
ポン
ギュッ
ギュッ
ポン
これは
スゴイ、
本物だ！
パチ
パチ
オリバーさん、
すごい！
ホッ

では次、お前もやってみせろ！
えっ！
サッ
オ…オレ？
そうだ！
ダメだ…ここまでか…

こんなところで捕まってたまるか！
うめっ！

ベリ
ベリ

これなら…
では…
パッ
やります！
オレにもできる！

ハッ！
…はず！
バッ

ホー…ッ

それは…大道芸で使うものです!!

どうか持っていかせてください!!

西側の音楽は悪魔の音楽だ！
例外なく、すべて没収する！

そんなっ！
バッ

私の認識不足でした、すみません…
うむ…では、いってよし！
ペコリ

東ベルリンの人達を、勇気づけるためのレコードが…
ブロロロ

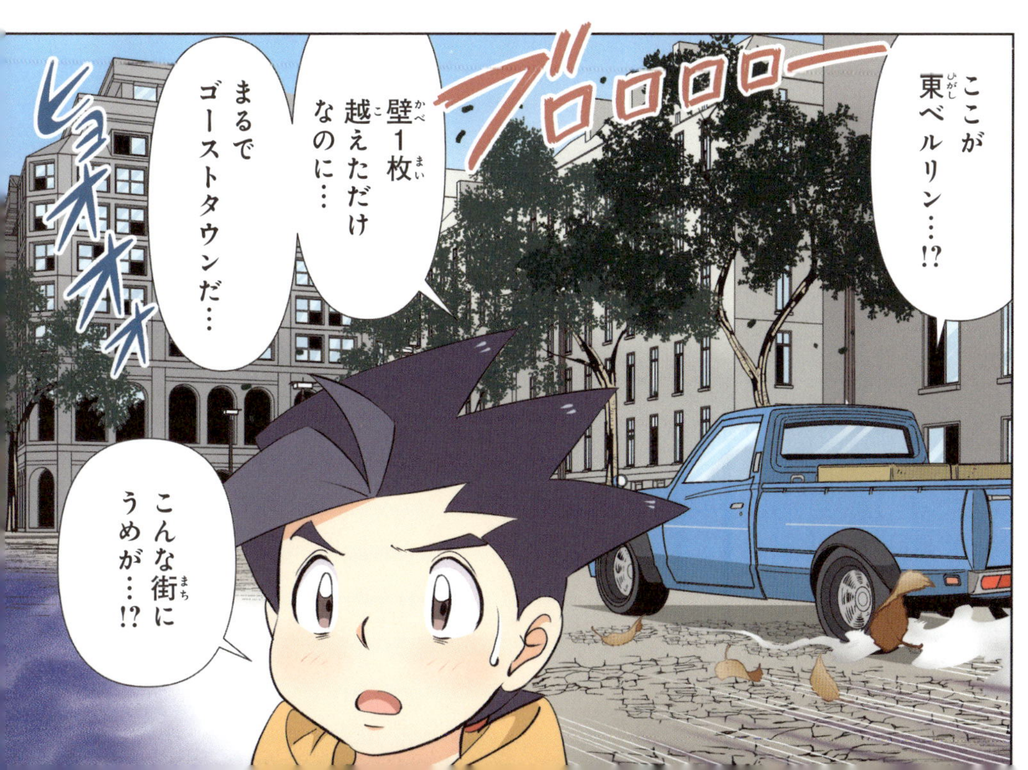
ここが東ベルリン…!?
ブロロロロー
壁1枚越えただけなのに…
まるでゴーストタウンだ…
ヒョオオオ
こんな街にうめが…!?

もうすぐ
うめさんのいる
教会だ…
ブロロロ
オリバー!!
カタリーナ!!
よくぶじに
こられたわね…
会いたかったわ!!

入って!
みんな!
オリバーが
きてくれたわ!!

うめ!
ワイ
ワイ
ハハハ

うめっ!?

うめ…？
…いないのか…
ガクッ
うめ…
ガチャッ
カタリーナさん、印刷所からチラシ、もらってきました！
バタン
にぎやかですね、何かあったんですか？
フフフッそうよ！

あなたの騎士が、白馬に乗ってきてくれたの！

朝陽…

ダッ
うめっ!!
朝陽──っ!!
ハハハ
こんなところまで…
危ないことしてきたんでしょう!?
迎えにいくって言っただろ!!
…バカッ!
バカバカバカバカッ!!
もう二度と
離すもんか…

泣かせるわね…
オレも、西にいる妹に会いたくなったぜ…
ううっ
ビリリ
さあ、今度は私達の番よ!
バッ
オリバーの持ってきた最新レコードでみんなの心に…
明かりを灯すのよ!!
Abgehalten
レコード…!!

ごめんなさい、レコードは国境を越えるときに全部…

あーーっ…
ズイ
そのレコードなら…
ガサッ

ちゃんとここにあるんだ!
ピラ
レコードって…それ、オレのレントゲン写真じゃ!?

ジャキ
キラ

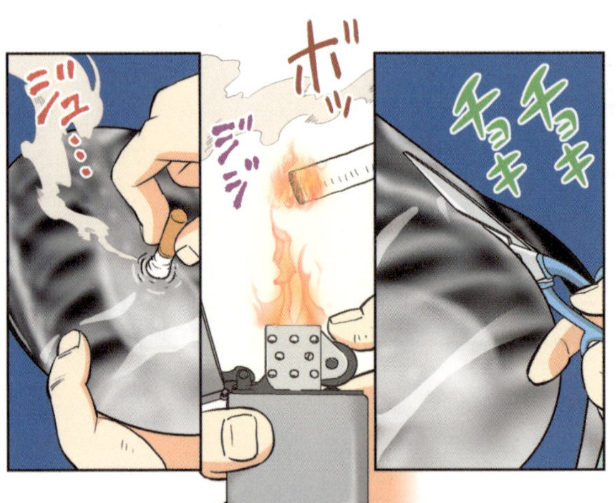
チョキチョキ
ボッ
ジジ
ジュ…

ピカーッ
完成だ!
えーーっ!!

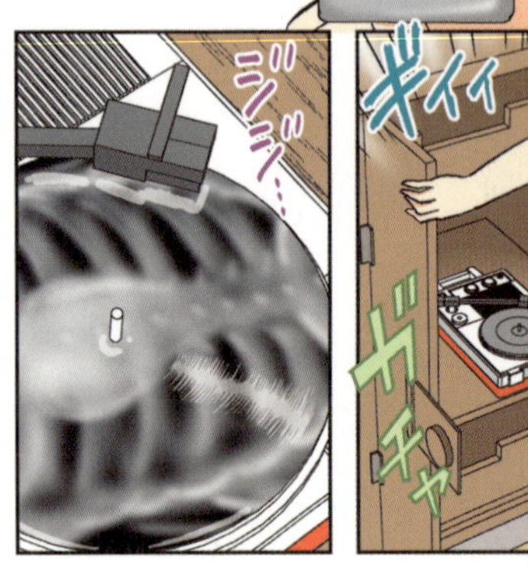
ギィィ
ガチャ
ジジジ…

すてきな曲だわ…
なんて心が明るくなる曲だろう!

もしかしてこのためにレントゲンを?
万一のためにって言ったろ!

うめ…
ワイ
ワイ
Xの挑戦状は、まだ解けてないけど…

この音楽会を見届けたいんだ…

キュッ
うん！

今夜、教会でイケてる音楽が聴けます！
教会で音楽を聴くイベントです！
Blues-Messe Abgehalten
お時間あったら聴きにきてくださーい！
バサッ
タタッ
ぐっ
パシ
ヒュウゥ
パサッ

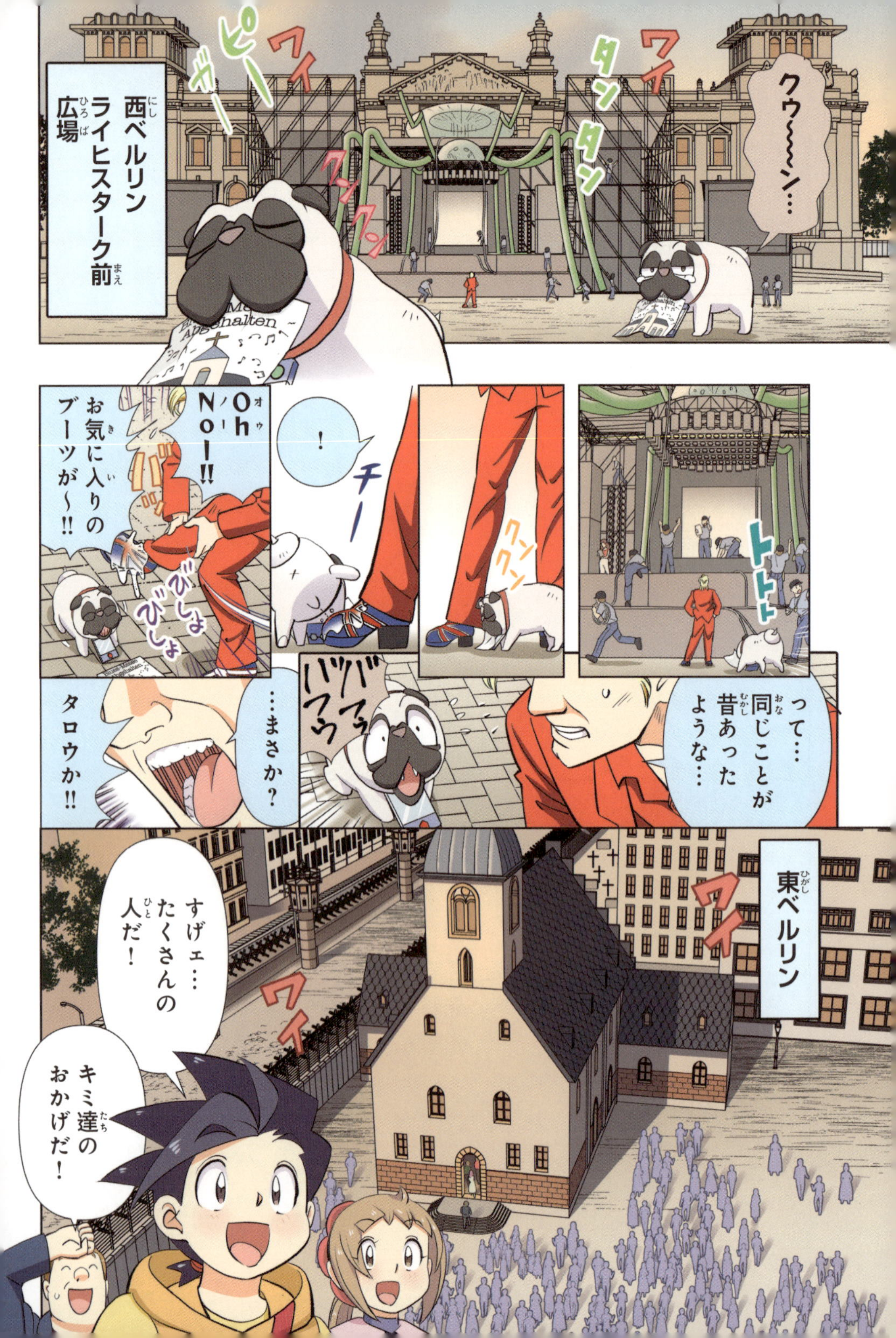
西ベルリン
ライヒスターク前広場
ピー
ガー
ワイ
タンタン
ワイ
クウ〜〜ン…
クンクン
Oh No-!!
お気に入りのブーツが〜!!
バ
びしょびしょ
!
チー
クンクン
トトト
って…同じことが昔あったような…
…まさか?
タロウか!!
バッ
東ベルリン
ワイ
ワイ
すげェ…たくさんの人だ!
キミ達のおかげだ!

西側から届いた豊かで素晴らしい最新の音楽です！

ワァァァアッ

全員動くな!!
バァン
ジジジ…
ここで違法集会が開かれていると通報があった…
ズイ
ペラッ
Abgehalten
東ドイツ軍!?
ジジジ…
それか!
バッ
ダッ

何をするんです、ヤメてくださいっ!!
ドカ
バキ
西側諸国の音楽は悪魔の音楽だっ！
こんなものを聴くのは、下劣で下品な獣以下の存在だ！
ガッ
ガッ

ヤメロ——ッ！
バッ
朝陽が命がけで持ってきた音楽にひどいことしないでェ！
ガシィ
彼らに逆らってはダメだっ!!
どうして…
どうして大好きな音楽を…
自由に聴いちゃいけないいんだよ——っ!!
うわあ
わあ

!?
音楽だ……!
西側の音楽!?
だれだっ!?
音楽を流している者は!!
ジャキッ
私達ではありません!
この曲いったい……!!
朝陽…この歌声…
聞き覚えがある…!
だれだ?
外だ!
バァン
何者かが外で音楽を流しています!!
逮捕しろっ!!
ダダダ
銃殺してかまわん!!
いました!
これは…

音楽は壁の向こう…
西ベルリンから
流れています!!
どうにも
できません!

そうか…
そうだった!
今日は
…!!

デビッド・ボウイのコンサートが、
西ベルリンのライヒスターク前広場で開催される日だっ!!
ワアアアアアッ
DEM DEUTSCHEN VOLKE

デビッド・ボウイさん!?
ロンドンにいたデビッド・ボウイさんが!!

デビッドさんがこの壁の向こうで歌っているんだ!

ピピッ
朝陽、うめ、いま、壁の向こうにいるんだろう?
えっ!?

どうしてデビッドさんが知っているんだ?

ピッ
こういうことさ!

ビュウウウン
うわあっ！
デビッドさん！
と…タロウ!!
スマタンの立体映像!?
もしかして…コナン君が!?

タロウ…どこに向かっているのかな？
うまいもん探してるとか？
元太君じゃないんですから…
あっ…見て！

あの人って…！
ロンドンにいたデビッドさんじゃないですか!!

どうしてあそこにいるんだ？

彼は、あのあとアメリカに移り…いまは西ベルリンにいるんだ…
そしてこの衣装…

タロウか!?
バフウ!

1人かい? 朝陽とうめは?
くぅ~ん…

デビッドさん、聞こえる?
!!

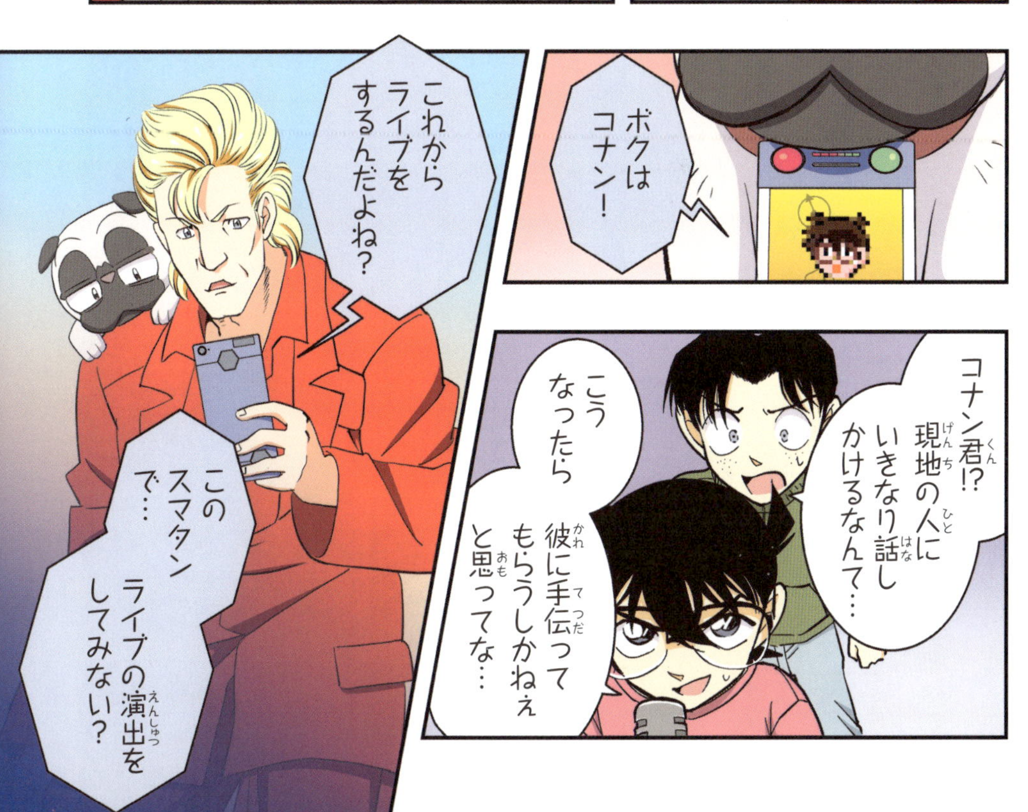
ボクはコナン!
これからライブをするんだよね?
このスマタンで…
ライブの演出をしてみない?
コナン君!? 現地の人にいきなり話しかけるなんて…
こうなったら
彼に手伝ってもらうしかねぇと思ってな…

18年前…朝陽、キミがオレに気づかせてくれたんだ!

歌はときに人を励まし…
ときに人を団結させることができる…

そしてときには人生を変えることができると!!

そしてオレは信じている!
歌は世界をも変えられると!!
いつか、このベルリンを隔てる壁も終わらせられる!

これはオレの祈りであり、
※世界中のみんなへのエールだ!!

※エール…応援。声援。

聴いてくれ!
「HEROES」!
BOOM

デビッド・ボウイのライブだ!
空に!?
何でもいい!最高だっ!!
ワァアアッ

この場所から…
デビッド・ボウイのライブが生で見られるなんて…

即刻自宅に帰れ!こんな音楽は聴くなっ!
違反者は逮捕するぞ!!
ジャキッ

何の罪で逮捕するんだ？
禁止された西側の音楽を――…
散歩しに、外に出ただけですよ！

カァァァッ
屁理屈を言いやがって…
アンタの部下だってほら…

壁は、人びとの行き来をさえぎった…
だが、音楽をさえぎることはできやしないんだ!!

私達は知ってしまった…
ガッ
壁の向こうには彼のような素晴らしいミュージシャンが…
いることを！

隠れてレコードを聴くだけじゃ、気持ちを抑えられない…
ぐぐ…
ベルリンの壁をこわしてみんなで音楽を楽しみたい…!!

そうだ
そうだーーっ!!
国が何と言おうが、
もうおとなしく
引き下がる
ものかーっ!!
オレ達は自由のために
立ち上がるぞーっ!!
歌でみんなの
心がひとつに
なったわ…
音楽の力って
すごい!
朝陽!
この状況って…
氷が
溶け始めると
歓喜が傷を
いやす!
X
Xのヒント
そのものだ!
となると、
答えは
きっと…
私も
ピンときたわ!
パン
じゃあ、
せーので言おうぜ!
せーの…

歴史は〝歌う〟！

ワーワー
歴史は、歌によって支えられてきたんだわ……

バッ
よーし、入力し……
スッ

あぁっ
スマタンとタロウは壁の向こうだ！

それならここニャ！
キャラット!!
チャッ
ポン

でも残念ニャ！
残り時間は10秒です！
お前達の挑戦は、失敗で終わるのニャ！
ピョーン
ポイ
9…

ガッ
それをよこすんだっ！
ニャにをする〜〜〜っ！
オリバーさん!?
ダン
タタタッ
8…
7…
6…
朝陽君、うめちゃん!!
バッ
いろいろとありがとう！
パシ
2…
1…
ピッ
歴史は歌う
キュイイイン
オリバーさん、みんな、ありがとう！
Xからの挑戦状全部クリアね!!
バフウ！
CLEAR

ワァァァァ
朝陽さん、うめさん、さすがだぜ！
やったね！

このコンサートがきっかけで…2年後にベルリンの壁は崩壊するんだ！
有言実行！素晴らしいですね！

ちなみに…
ベルリンの壁崩壊の知らせを聞いたチェコスロバキアも…
市民が団結して政府を倒し、自由を勝ち取ったわ…

ずっと歌うことを禁じられていたマルタさんも…
大観衆の前で再び歌ったのよ…
歌の力ってすげぇんだな！
そうだ博士！
ハッキングは!?
うむ！ここに答えを打ちこめば…
カタ
カタ
カタ
これでどうじゃ！
タン！

DANGER DANGER DANGER
フッ

パッ
歴史は？？？？？？？によってつくられる！

まだ終わりじゃないぞ！これが私からの最後の挑戦状だ!!
歴史は？？？？？？？によってつくられる！
これが解けなければ…

まだ続くのかよ！
いったい何が入るんでしょうか？
う〜ん…

事件じゃねぇか？
歴史は事件によってつくられる！
ボクは、歴史は探究心によってつくられるだと思います！
歴史は文化によってつくられる…
だと思う！

こいつらからそんな答えが出てくるなんて…
しっかり学んでるじゃねえか…

あ!! コナン君笑ってる!
コナン君は答えが分かったんですか?

おめぇらの解答はどれもまちがいじゃないとは思うぜ…
だが…
7文字の答えを導き出すには、まだ手がかりが足りねぇ…

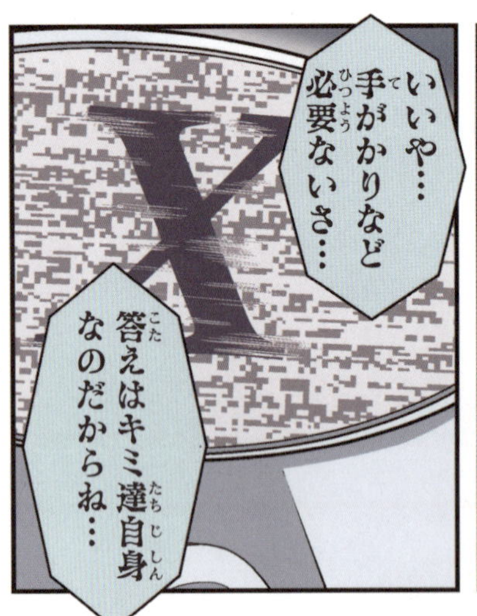
いいや…手がかりなど必要ないさ…
答えはキミ達自身なのだからね…

オレ達自身?どういう意味だ?
バッ
分かったぞ…答えはこれだ!
カタ
カタ
カタ
カタ

タン!

パ

歴史は名もなき人びとによってつくられる

ッ

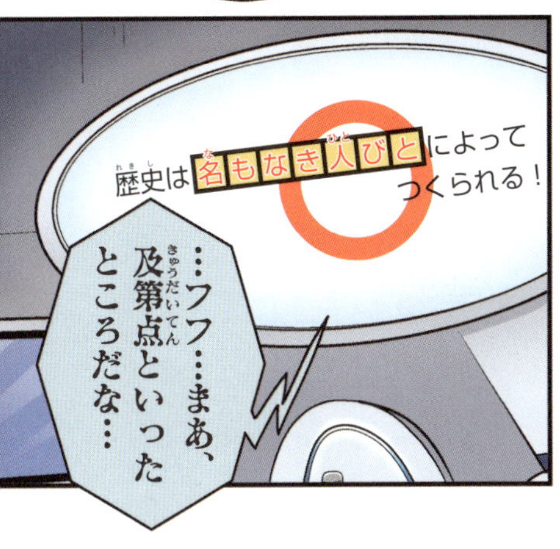

今回はこれくらいにしておくとするか…
フッ
今度はハッキングされないように、くれぐれもナビルームを…歴史を大切にすることだ!

これでXとの戦いも終わったの!?
ボク達自身も歴史の一員…大事にしないと!
じゃあ、オレはうな重を守るぞ!

またそれですか、元太君…
カレーも守るし焼肉だって…
元太君、食べ物ばっかり!
……

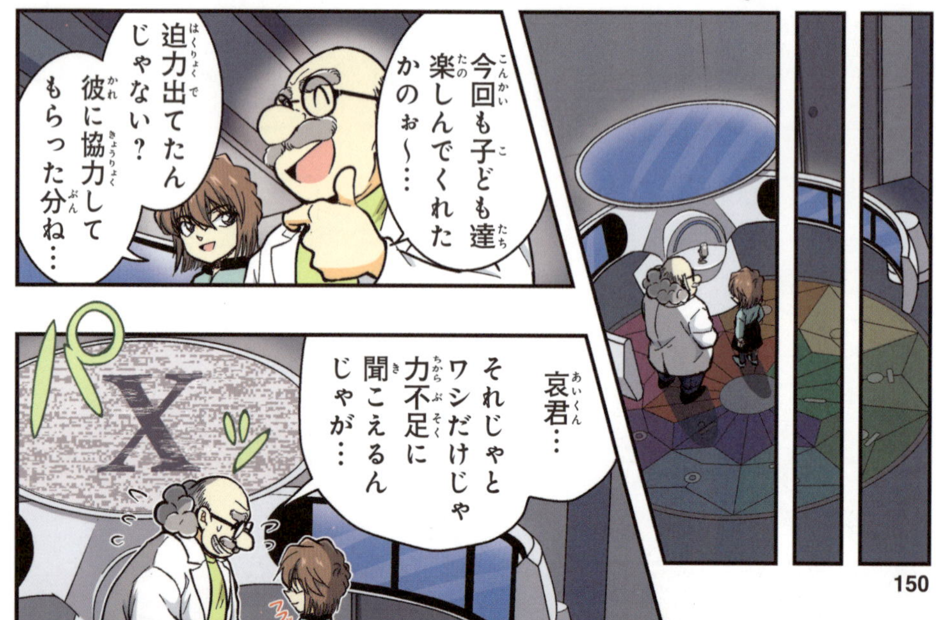
今回も子ども達楽しんでくれたかのぉ〜…
迫力出てたんじゃない?彼に協力してもらった分ね…
哀君…
それじゃとワシだけじゃ力不足に聞こえるんじゃが…
X

いやあ…子ども達の成長は想像以上でした!

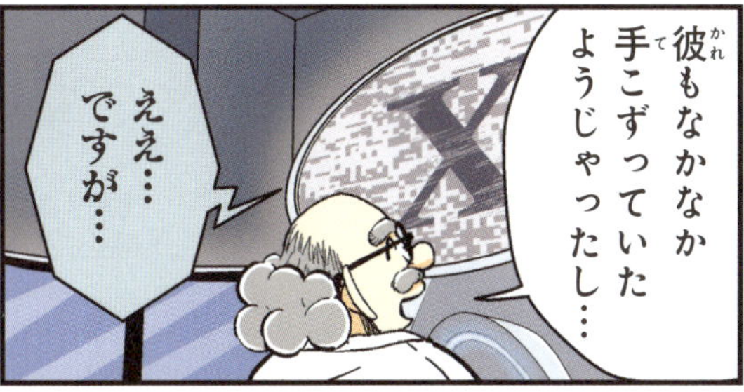
彼もなかなか手こずっていたようじゃったし…
ええ…ですが…

し、新一!?
やっぱり…Xとグルだったんだな!!

ウルフに闇の男爵の格好までさせてさ…
なあ、工藤優作…

…ふっ、さらばだ!
プツッ
博士～…
ワ、ワシは何も知らん!
ぴゅ～

あら…

けっきょく、新ちゃんに気づかれちゃったの?
まあ、私の息子だからね…

離せ〜〜、
離すニャ〜!!
ジタ
バタバタ

いいかげん
目を…
グルリン

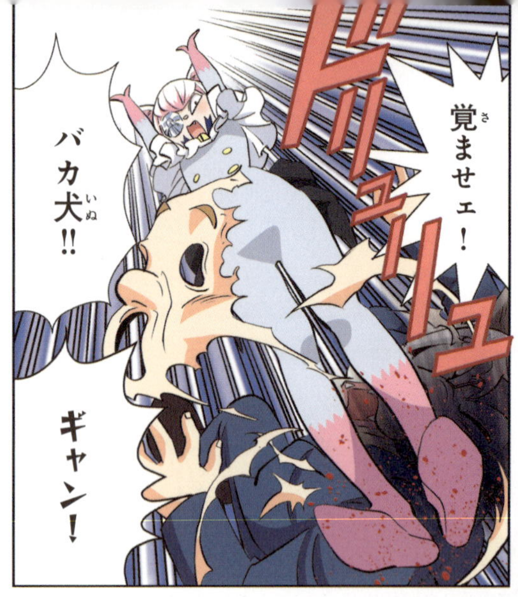
ドリュ〜〜ュ
覚ませエ！
バカ犬!!
ギャン！

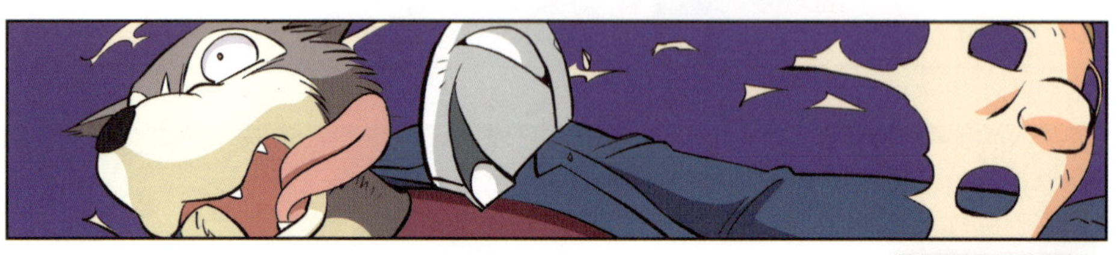

ハッ

ガバッ
やっと
目を覚ました
ニャ？
…キャラット？
何かあったのか!?

お前はXとかいう変なヤツに操られて…
タイムドリフターのお助けキャラにされていたんだニャ！
オレがっ!?
記憶にねェぜ…
まったく情けないニャ…
■人びとの暮らしの積み重ねこそ歴史…次の時代をつくるのはキミ達自身だ!!
同情するニャ！
あ、ありがとよ…
キュッ
にしても…
やられっぱなしってのは気持ちが悪いぜ…
安心するニャ！
やられっぱなしのご主人さまじゃないニャ…
いまごろ、きっと新しい舞台を考えているところニャ！
●世界史探偵コナン シーズンII⑥ 音と歴史 囚われの号砲●おわり●

コナンの推理NOTE

「革命」は音楽とともに！世界を変えた自由な音楽

人びとの苦しみや悩みは、歌や音楽となって世界を駆けめぐった！

20世紀になると、音楽が人びとを動かす力にだれしもが気づき始めた。だから、ときにはその力を抑えつけようとする国まであらわれるようになったんだ。東西冷戦によってつくられたベルリンの壁がある東ドイツでは、政府の厳しい監視で、自由に好きな音楽を聴くこともできなかった。しかし、人びとは音楽をあきらめなかった。

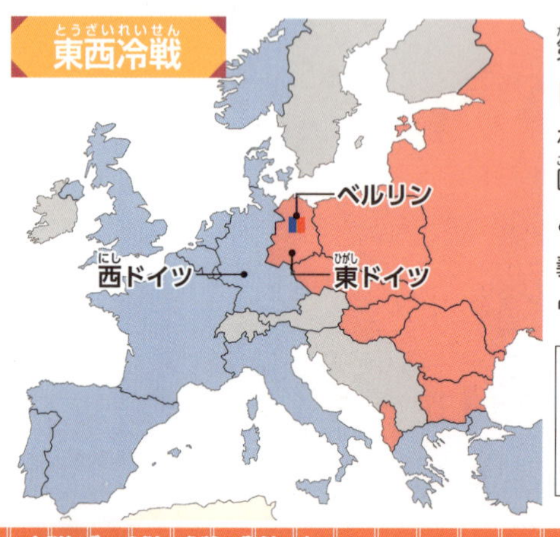

第２次世界大戦終結後、1945～1989年まで、「冷たい戦争」と呼ばれる東西冷戦が続いた。これは、資本主義（※）を代表するアメリカ合衆国が中心となった北大西洋条約機構（NATO）と、社会主義（※）を代表するソビエト社会主義共和国連邦（ソ連）が中心となったワルシャワ条約機構（WTO）の対立だった。

- ワルシャワ条約機構の国
- 北大西洋条約機構の国
- どちらでもない国

※資本主義…個人が自由に財産を持てること。
※社会主義…個人が自由に財産を持つことができず、国がすべて管理すること。財産は国民に分配される。

人びとを分断した「ベルリンの壁」

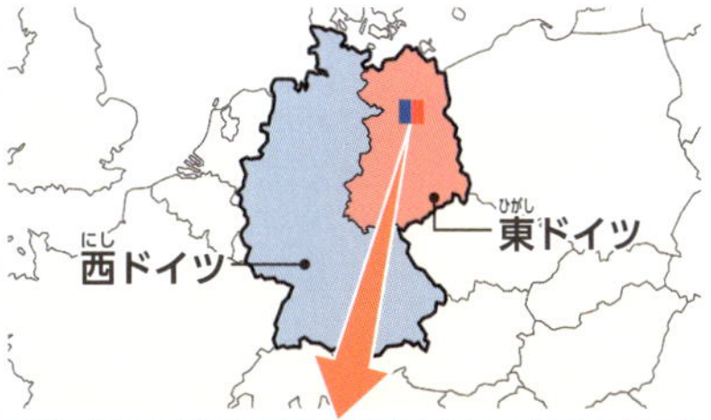

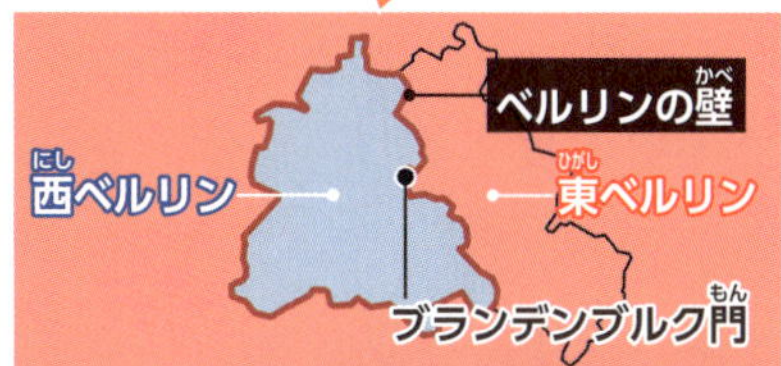

1961年 建設

1961年8月13日。この日突然、東ドイツ（ドイツ民主共和国）の国境警備隊は、西ベルリンのまわりを、人が乗り越えられないよう高さ3mの壁で取り囲んだ。東ドイツでは、壁をつくる前まで、毎日2000人もの国民が国を去っていた。東ドイツ政府は、このまま国民が減っては社会主義国家を続けられないと考え、経済的に豊かでもっとも近い外国、西ベルリンへと国民が移ってしまわないように「ベルリンの壁」をつくって、東ドイツと西ベルリンを分断した。

ベルリンの壁建設の様子。西ベルリンを取り囲む壁の全長は約155kmもあった。

1989年 崩壊

1989年11月9日、東ドイツの社会主義政権の崩壊とともに、東西を分断していたベルリンの壁も崩壊し、ドイツはついにひとつの国になった。壁で分断されていた28年間で、東ドイツから西ドイツに脱出した人は約5000人もいたという。壁の崩壊の1か月後、経済状況が悪化したソ連はアメリカとの冷戦に終止符を打った。

ベルリンの壁をハンマーでたたきこわそうとする、東ベルリンの人びと。

東ドイツ政府は、人びとの国外への移動を取り締まった。しかし、役人が勘違いで「好きなところへ旅行してもいい」と発言し、国民がベルリンの壁の検問所に押し寄せたぞ。

政治の「壁」を揺るがした2つのコンサート

1987年6月　西ベルリン

イギリスのロックシンガー・デビッド・ボウイは、1987年6月6日にベルリンの壁（西ベルリン側）でコンサートを開催した。会場に設置されたスピーカーの一部はベルリンの壁に向けられ、歌声が東ベルリンに届けられた。

1988年7月　東ベルリン

1988年7月19日に、アメリカのロックシンガー・ブルース・スプリングスティーンと、同じくアメリカの音楽グループ・Eストリート・バンドが「Rocking The Wall（壁を揺らす）」と銘打ったコンサートを東ベルリンで開催。

アメリカのジョージ・ブッシュ大統領とソ連のミハイル・ゴルバチョフ大統領の両首脳が話し合って、1989年12月に東西冷戦の終結を宣言した。

冷戦終結宣言

冷戦終結宣言によって、第2次世界大戦後、約半世紀にわたって続いたアメリカとソ連の「冷戦」は幕を閉じた。終結と時を同じくして、東ヨーロッパの国ぐには次つぎにソ連との関係を変え、政治体制を社会主義から資本主義へ改革していった。こうした世界の情勢の変化が、ソ連の崩壊につながっていった。

※軍事介入…2か国または多数の国の間で起こった紛争などに第三者であるほかの国が軍事力によって割って入ってくること。

音楽界から姿を消してしまったマルタは、その後、1989年にチェコの民主革命である「ビロード革命」で20年ぶりに人びとの前で歌ったんじゃ！

人びとを勇気づけた音楽の力

「プラハの春」と「HEY JUDE」

東西冷戦下の1968年にチェコスロバキアで行われた「プラハの春」と呼ばれる民主化運動。言論の自由や出版の自由などを求めたが、ソ連をはじめとした東ヨーロッパ諸国の軍事介入（※）によって運動は中止させられた。しかし、チェコ出身の歌手、マルタ・クビショバがカバーしたビートルズの「HEY JUDE」が民衆たちの気持ちを支え続けていた。

東ヨーロッパ諸国の軍に包囲される学生達。

政府やソ連を批判し、自由への希望を歌った歌詞に変えたマルタの「HEY JUDE」は、60万枚もの大ヒットを記録。

しかし、すぐに発売禁止になり、1970年にマルタは音楽界から永久追放となった。

ザ・ビートルズ

イギリス出身の20世紀を代表する音楽グループ。1964年4月には、アメリカのビルボード・ヒット・チャートという音楽ランキングで上位5曲すべてをビートルズが独占するという伝説的な記録も残したよ。愛や平和について歌ったビートルズの楽曲は、人びとはもちろん、社会にも多大な影響を与えたんだ。

「HEY JUDE」は、1968年発売のビートルズの楽曲。ジョンの息子を元気づけようとポールがつくったバラード曲（※）だ。世界中で大ヒットした。

※バラード曲…ゆったりとしたテンポの悲しげな曲。

コナンの推理NOTE

音楽は宇宙の共通語！？地球を飛び出した音楽達

地球を駆けめぐった音楽は、ついに宇宙に向けて発信された！

人類の誕生と時を同じくして生まれ、世界の歴史とともに歩んできた歌や音楽。いまや、その歌や音楽は地球にとどまらず宇宙にも届いているんだ。世界中から集められ厳しい審査のうえ選ばれた、27もの歌と音楽がおさめられたゴールデンレコード（※）が制作され、1977年に宇宙に送られているんだよ。

宇宙探査船ボイジャー

1977年、NASA（※）は、宇宙探査船ボイジャーにゴールデンレコードを取り付けて、宇宙へと打ち上げた。ゴールデンレコードは、その名のとおり、金メッキ（※）がほどこされた銅製のディスクで、その中には、地球生まれの音楽（→159ページ）や、楽器、車、学校で学ぶ子ども、地球から見た惑星などのさまざまな写真115点、波、雷、鳥の鳴き声などの自然の音声、55か国語の挨拶する音声などが収録されている。

※ゴールデンレコード…地球上の文明を記録し、宇宙に残すためにつくられたレコード。
※NASA…アメリカ航空宇宙局。1958年に設立された宇宙開発の政府機関。

ボイジャー1号は、地球がある太陽系を離れ、はるか遠い宇宙でいまも旅を続けておるぞ。ほかの惑星系に接近するのは約4万年後だそうじゃ。

宇宙人は、どの曲が好みかな？

ブランデンブルク協奏曲

ヨハン・ゼバスティアン・バッハはドイツの作曲家で音楽の父ともいわれる。そんなバッハが1721年にブランデンブルク辺境伯（※）に贈った作品であることから名づけられた「ブランデンブルク協奏曲（オーケストラとソロの楽器による演奏）」。第1番から第6番まであり、現在でも数多くの楽団に演奏されているんだ。

鶴の巣籠

日本の伝統的な楽器・尺八による曲。子鶴が巣立っていく喜びや悲しみをテーマにしているよ。演奏しているのは有名な尺八奏者の山口五郎だ。

ジョニー・B・グッド

1958年にロック歌手であるチャック・ベリーが発表した楽曲。1985年公開の映画「バック・トゥ・ザ・フューチャー」で、主人公が演奏するシーンでも有名だ。

※金メッキ…金属などの表面をうすく金で覆うこと。
※辺境伯…神聖ローマ帝国などで用いられた、国境の地域を治める貴族の称号のひとつ。

名探偵コナン歴史まんが

世界史探偵コナン・シーズン2

6［音と歴史］囚われの号砲（ファンファーレ）

2024年10月21日　初版第1刷発行

発行人　野村敦司
発行所　株式会社　小学館
〒101-8001
東京都千代田区一ツ橋2-3-1
電話　編集　03(3230)5632
　　　販売　03(5281)3555

印刷所　TOPPAN株式会社
製本所　牧製本印刷株式会社

ISBN978-4-09-296729-8 Shogakukan.Inc

◆原作／青山剛昌
◆シリーズ構成／田端広英
　カラビナ
◆まんが／谷仲ツナ　斉藤むねお
◆カバーイラスト／太田勝　斉藤むねお
◆イラスト／九里もなか　加藤貴夫
◆脚本／能塚裕喜
◆記事構成／田端広英
　増田友梨　鷲尾達哉（カラビナ）
◆ブックデザイン／竹歳明弘（Studio Beat）
◆カラーリングディレクター／
　二野戸聡　蒔田典尚　木村慎司
　（株式会社トッパングラフィックコミュニケーションズ）
◆校閲／目原小百合
◆編集協力／増田友梨　鷲尾達哉　和西智哉
　（カラビナ）

◆制作／浦城朋子
◆資材／斉藤陽子
◆宣伝／内山雄太
◆販売／藤河秀雄
◆編集／藤田健彦

[参考文献]

『小さな革命・東ドイツ市民の体験ー統一のプロセスと戦後の二つの和解』（ふくもとまさお著、言叢社）、『平凡社新書 519 ベルリン物語ー都市の記憶をたどる』（川口マーン惠美著、平凡社）、『中公新書 2615 物語 東ドイツの歴史ー分断国家の挑戦と挫折』（河合信晴著、中央公論新社）、『ふくろうの本 / 世界の歴史 図説チェコとスロヴァキアの歴史』（薩摩秀登著、河出書房新社）、『ザ・ビートルズ大全』（ウィリアム・J・ダウルディング著、奥田祐士訳、ソニー・マガジンズ）、『ヒーローズ――ベルリン時代のデヴィッド・ボウイ』（トビアス・ルター著、沼崎敦子訳、Pヴァイン）『一人の声が世界を変えた!』（伊藤千尋著、新日本出版社）『レオポルド1世：宗教曲集』（マンフレード・コルデス、ブレーメン・ヴェーザー＝ルネサンス、CPO）、『国際理解に役立つ　世界の民族音楽ー CDできけるー4　アラブとアフリカの音楽』（若林忠宏監、こどもくらぶ編、ポプラ社）、『人間科学叢書 46 ウィーンとヴェルサイユーヨーロッパにおけるライバル宮廷 1550～1780』（J・ダインダム著、大津留厚、小山啓子、石井大輔訳、刀水書房）、『ウィーン国立歌劇場（世界の歌劇場）』（岩下眞好著、音楽之友社）、『文庫クセジュ 1026 アラブ音楽』（シモン・ジャルジー著、水野信男監修、西尾哲夫、岡本尚子訳、白水社）、『決定版 はじめての音楽史ー古代ギリシアの音楽から日本の現代音楽まで』（久保田慶一ほか著、音楽之友社）、『世界の楽器百科図鑑ー楽器の起源と発展』（マックス・ウェイド＝マシューズ著、別宮貞徳監訳、東洋書林）、『世界音楽文化図鑑』（アラン・ブラックウッド著、別宮貞徳監訳、東洋書林）、『ブルーバックス B-2060 新装版 音律と音階の科学ードレミ…はどのように生まれたか』（小方厚著、講談社）、『ドラえもん学びワールド　音楽をはじめよう』（藤子・F・不二雄まんが、藤子プロ・久保田慶一監修、小学館）、『音楽用語の基礎知識』（久保田慶一編著、アルテスパブリッシング）、『中公新書 2209 アメリカ黒人の歴史ー奴隷貿易からオバマ大統領まで』（上杉忍著、中央公論新社）、『チェコとスロバキア　歴史と現在』（大鷹節子著、サイマル出版会）、『ベルリンの壁　ドイツ分断の歴史』（エトガー・ヴォルフルム著、飯田収治、木村明夫、村上亮訳、洛北出版）、「自動演奏ピアノの歴史的概観」（高澤嘉光著、日本ロボット学会誌第14巻第2号）、『詳説世界史B 改訂版』（木村靖二、岸本美緒、小松久男ほか著、山川出版社）、ナショナル ジオグラフィック https://natgeo.nikkeibp.co.jp、日本経済新聞 https://www.nikkei.com、文化遺産オンライン https://bunka.nii.ac.jp、日本雅樂會 https://www.nihongagakukai.gr.jp、文化庁デジタルライブラリー https://www2.ntj.jac.go.jp、オーストリア政府観光局公式サイト https://www.austria.info/jp、阪急交通 https://hankyu-travel.com/heritage/austria/schonbrunn.php、ハプスブルク展 https://habsburg2019.jp/、島村楽器 https://www.shimamura.co.jp、PRESIDENT Online https://president.jp、PHP オンライン https://shuchi.php.co.jp、ONTOMO https://ontomo-mag.com、一般社団法人電気学会 https://www.iee.jp、国際協力機構 https://www.jica.go.jp、日本ロボット学会誌 https://www.jstage.jst.go.jp、NHK https://www.nhk.or.jp、オルゴール堂 https://www.otaru-orgel.co.jp、武蔵野音楽大学 https://www.musashino-music.ac.jp、Marta Kubisova https://www.kubisova.cz、U discovermusic.jp https://www.udiscovermusic.jp、UNIVERSAL MUSIC JAPAN https://www.universal-music.co.jp、NASA http://voyager.jpl.nasa.gov、新国立劇場 https://www.nntt.jac.go.jp、リアルサウンドテック https://realsound.jp、ソニーグループポータル https://www.sony.com、パナソニック EW ネットワークス https://panasonic.co.jp、ジャパンナレッジ https://japanknowledge.com、otonato PORTAL https://www.110107.com、ブックバン https://www.bookbang.jp、ソニーミュージック https://www.sonymusic.co.jp、ヤマハ音楽振興会 https://www.yamaha-mf.or.jp、多摩六都科学館 https://www.tamarokuto.or.jp、DI:GA ONLINE https://www.diskgarage.com

※このまんがは、史実を下敷きに脚色して構成しています。

日本音楽著作権協会（出）許諾第2406371-401号